U0114221

陸儼少自敘

華寶齋書社

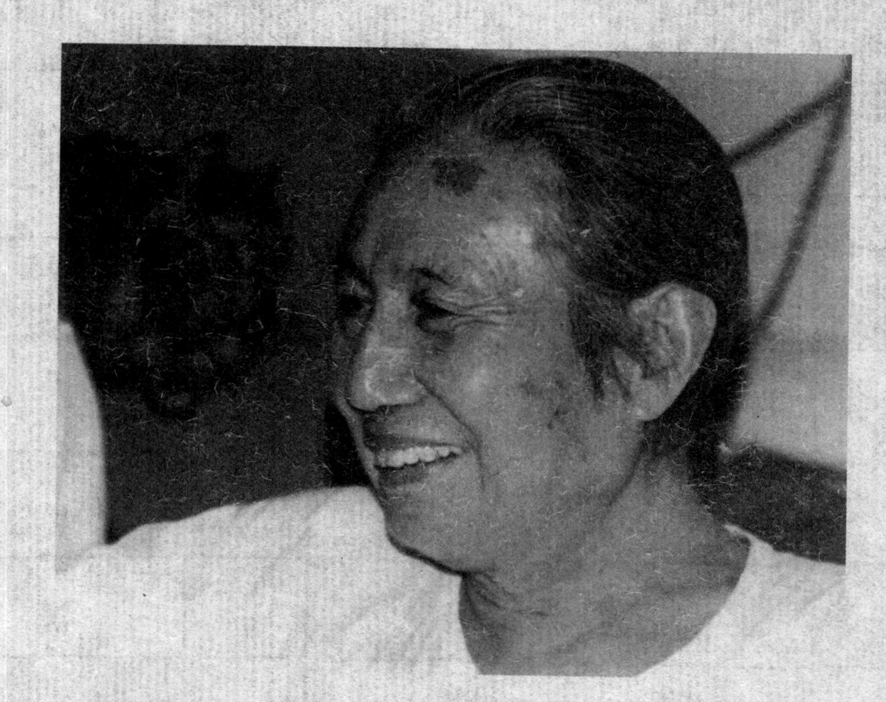

攝於八十壽誕之日

前言

此書是陸儼少先生親手撰寫的回憶録，着重談了他的繪畫生涯與滄桑身世。

作者的本意是總結自己攀涉藝術道路中的甘苦，以此無保留地昭示於後來者，拳拳之意，披卷可會。

文章讀來清朗上口，咀含多味，堪稱文意兩茂。

在陸老僊逝十周年之際再版此書，旨在深切緬懷這位文人畫大師，同時也以此激勵同道，啓迪後學。

編者

一

我小名驥，學名陸同祖，又名砥，字儼少，後以字行，改字宛若。一九〇九年陰曆五月九日生。原住江蘇省嘉定縣南翔鎮。父親陸韵伯開一爿米店，他是我祖父少樵公的長子。少樵公出身貧苦，稍長學了生意，後來在南翔鎮南市梢借了一間門面，兩隻栲栳，擺了米攤頭，開始經營米業。生意日就興旺，遂自己造了房子，擴大門面，掛起陸信昌牌號，成爲一間象樣的米店。我祖父活了四十多歲就死了，他有三個兒子，一個女兒，我父親居長。這樣，家庭的一副擔子，都壓在父親身上。

據說我父親讀書很聰明，本來想考秀才，從科舉獵取功名。他棄讀經商，一些老輩都爲他惋惜。他雖然做了生意人，但是他的文學修養，勝過一般讀書人，也寫得一手工整小楷書。我有一個哥哥是異母所生，我母親朱璇是繼室，她是長女。我外祖父家在南翔西北鄉斜涇村，這地方土肥水清，竹樹茂盛，是一個有百來人家的大村子。外祖父的上代幾代單傳，田地不少，有一座雕花的大廳，外面磚刻的墻門，還有旱船、書房等憩息場所。但到了我外祖父的一代，子孫多了，各立門户，把一整套的房屋破壞了。我小時還看到庭前高大的桂花樹和玉蘭樹，後來房份多了，竟把玉蘭、桂花砍掉了，在庭内造起竈間，把一座很雅致的旱船，搞得不象樣子。花墻下面，造起鷄塒；大廳隔壁，喂起猪羊，非復舊時場面。

我母親三十歲出嫁，做得一手好針錢，我少時還看到在夏秋之際拿到太陽下曬的刺繡生活，雖然是些小玩意，然而精緻極了。我母親共生六胎，五男一女，前面幾個都是男孩，生下就夭殤。我的上面，是個女孩，陰曆五月初九日生，不到一年，也就暴病死去。接着我生，不前不後，恰巧也是五月初九日。我父母認爲她是投錯了女胎，所以女轉男身，去了又回來。雖也知道這是一種迷信的説法，但時刻想念我這個死去的姊姊，慰情於無，就李代桃僵，把我作女孩子打扮。在前清末年，男女都留長髮，而我留髮梳頭，乃是女孩子式樣，穿的也是女孩子的衣服。有次要我穿耳孔戴環，我怕痛逃走，號哭不肯，因之没有穿成。此外只是差一點没有纏足而已。取小名曰『姬』，字儼妙，號『宛若』。我曾記十幾歲時有次夏夜乘涼，我父親提起『宛若』兩字，説是出於《史記·封禪書》中，是個女神的名字，而在當時，用以爲號，義涉雙關，確切允當，言下很是得意。可知家裏人簡直把我作女兒看待，我聽其擺布，在幼小的心靈上，不免有些别扭。直到五歲上下，快要上學讀書了，纔改換男裝，其時一條辮子已有一尺多長了。只因從小留辮，日子久了，習以爲常，故也不覺累贅。一朝剪去，反覺異様，而腦後輕便涼快，感到十分舒適，加以還我本來面目，自謂得到一次解放。至是把『姬』字改爲『驥』字，儼妙的『妙』字，省去『女』旁，一班比我年小的，就叫我『驥哥』，從此忘却了一段有乖情性的經歷。

我禀性内向，臨事遲疑，不善交接人物，無丈夫趦厲奮發之志，而寫字作畫，下筆委婉，少慓悍剛毅之氣，不知是否和少時這段經歷有關。

我小時歡喜跟隨母親到外婆家去。我外祖父有三個兒子，第二個兒子名朱炯千，年輕時考中頭名秀才，光復前後在上海育才中學任教，不幸三十六歲死了，遺有一女，六歲，名朱燕因。我那時八歲，表兄妹青梅竹馬，兩小無猜，在十二歲時由外祖父作主訂了婚。我岳母蔣梅芬，是我的二舅母。她青年守寡，爲人沈静善良，從無疾言厲色，待人極好，善於持家，做事按部就班，不急不慢，但完成得總比人家快。種上十幾畝地，喂鷄喂鴨，也喂了猪，生活得很好。

我和朱燕因訂婚之後，年事稍長，囿於封建禮法、鄉間風

氣，兩人相見，脉脉無言，她見到我總是迴避，知道我暑假會到母舅家來，她也到自己的母舅家去，這樣我也不好意思常到母舅家去。記得我老師馮超然先生有次問起我的婚姻事情，知道我已訂婚而兩不接觸，他説婚前的時期拉得長，兩人相親相愛，甜密無間，是人生的黄金時代，象我這樣，是太可惜了。現在回想起來，一點也不錯。

我的岳家，幾輩都是長壽，我母親的祖母，活到九十多歲，我外祖父活到七十九歲，他的哥哥也是八十多歲，其他旁支，也多七八十老人，聚族而居，融融洽洽。我岳母時常送來鄉間土産，腌鷄腌肉，甜瓜蘆粟，以及各色的餅餌等等。我每讀歸有光《先妣事略》，説他的外家吴家橋情狀，和歲致餅餌等等，

聯想到我的岳母，以及斜涇村諸老人情狀，如在目前，不勝眷戀。我母親也是一位節儉勤勞的好當家，待人和睦，手脚不停，周圍的人都説她好。我小時就是在這兩位賢母照護下長大成人的，現今她們都早已不在人世，我也是七十多歲的人了，回想往事，每唏嘘不自禁。

二

我老家在南翔鎮南市梢，再南不到一里路，就是滬寧鐵路。我小時常到鐵路旁去玩，把銅幣放在鐵軌上軋成餅餅；清明時節，在鐵路旁廢地上放風筝、拔茅針，在茅草叢中捉刺猬。再南一里多路，就是黄家花園，我看着園主黄伯惠把花園建造起來。我認識看花園的工人，常常可以進去玩，拔一些小樹苗，拿到家裏來種。我家旁邊有一方桑園地，桑樹十分高大，我常到桑樹上摘桑椹。桑園下面，不加整治，以致雜草叢生。夏天，我到樹上捉知了，在草叢裏捉紡織娘。我家門前，有條市河，我在水橋上捉小魚，這種小魚，不過針様大小，捉回來養在陶盆内玩。我家裏没種花的花盆，就在家中磚鋪的庭院内，壘石移土，在不到兩平米的範圍裏，種了不少花花草草。我把養魚的陶盆放在花樹下面，俯身看魚兒游來游去，小中見大，情趣無窮。在庭院中間，放上一隻缸，種上荷花，捉了蝌蚪放在裏面，讓它自由游動，也每每看上一個長時間，不知疲倦。

三

我在小時尚未讀書識字，就喜歡東塗西抹，畫些人呀，狗呀，没有範本，就拿香煙畫片照着畫。七歲，進嘉定第四國民小學一年級讀書。這所學校在家後幾十米的土地廟内，只有一個班級。老師是我的大母舅，名朱聞香，他在前清時是縣學生員，没有考上秀才。小時患過中耳炎，以致耳聾重聽，但教書認真不苟。我讀上書，接近了筆和硯，看到教科書上的插圖，很感興趣，就照着用毛筆畫起來。在我的上代以及親戚朋友中間，没有一個會畫畫的，南翔鎮是個小地方，也没有一個象樣的畫家，所以畫畫完全是自發的。我小時不算笨，記得有一堂填充課，要把『無』、『不』兩字造成句子，我填上『樹上無花，

不能結果』，博得老師的稱贊。我身體一向不好，據聞我母親在懷孕時身體患病，所以我生下來先天不足，體弱多病。服了些補品，也不見好。尤其肺弱，時常感冒。

十一歲我小學畢業，到鎮上嘉定第二高等小學讀書。有次心算比賽，我得了第一，我自己也没料到。聽説我父親心算很好，他去買物，買了一大堆，營業員尚未結帳，他已把總數心算出來了，難道這也有一點遺傳基因嗎？但在這方面，我没有發展，只有畫畫，一直愛好不變。我母親的祖父，愛好書畫，家裏也有些收藏。我母親擅長刺繡，在這方面，或者在我母系上有些遺傳基因。

我十二歲轉到南翔大寺前翔公小學讀書，離家一里多路，

是可以走讀的。但父親叫我寄宿在學校内，讓我鍛煉鍛煉，準備畢業後送我到上海去讀書。我星期六晚上回家，星期一早上去學校。路過偎經堂，隔壁有一老畫家叫沈書林，他的畫室就靠街道，窗上鑲塊大玻璃，我不敢進去，隔着玻璃看他畫畫，其實他的畫是極庸俗的，但我看得津津有味。我在這方面一點知識也没有，也不知道畫分山水、人物、花卉。

十三歲時，我家鄰居糟坊裏的小老板送給我一部《芥子園畫譜》，我如獲至寶，大開眼界。這部《芥子園畫譜》也不是木刻水印的原版，僅僅是巢子餘臨摹的石印本，但我覺得好極了，遂如饑如渴地臨學。從中知道了一些畫法以及傳統源流，此外我一無所知，也没有機會接觸一些有關畫學的書本，實在

可憐得很。

我十四歲高小畢業，到上海澄衷中學讀書，學校裏成立了一些書法、繪畫、金石等課外組織。那時中學圖畫課，一般都教西洋畫，惟獨澄衷中學教的是中國畫，由一位名叫高曉山的老先生來擔任。記得有次示範，畫一塊切下的猪肉，有精有肥，他用筆蘸飽了水，筆頭上蘸點紅色，卧筆下去，一筆分出肉皮、肥肉、精肉，我覺得新鮮，也從而悟到用水、用色、用墨的道理。學校的圖書館裏，有一部有正書局出版的《中國名畫集》，只供在館内翻閱，不能出借，我就帶了筆硯，在圖書館内臨摹，從而知道中國畫傳統的源流派别，及其筆墨運用。這些畫是無法得見真跡的，但這種用珂羅版縮小印刷的畫片，雖然有些

模糊，但終究可以見到一些精神面貌。所以我說近幾十年山水畫水平回升，勝過前一個時期，珂羅版的問世，是有功勞的。當然有的人臨摹珂羅版，不得其法，搞得奄奄無生氣，所謂珂版（諳音科班）出身者，自當別論。這部《中畫名畫集》選得比較精，僞品不多，使我知道那些流派、名家的面目，比之只看文字記載，摸不到頭腦有用得多。這部《中畫名畫集》有三十多册，價值幾十元，我買不起，時常到圖書館去借閱借臨。我之所以能够對中國畫傳統認識有粗粗的輪廓，這部書是有啓蒙作用的。學畫之外，我也兼學刻印。圖書館裏有一部《十鐘山房印舉》，不是原拓本，是商務印書館翻印本，也是二十元一部，我也買不起。其時和我同寢室的同學吳一峰也刻印章，他也買不起這部書，就用拷貝紙復在上面用朱色依樣摹畫下來，我也學他摹畫，積成一厚疊。没有石章，星期天到城隍廟小世界下面攤頭上買回一角或幾分錢一枚的石章學刻，從虹口唐山路到南市城隍廟，來回一、二十里，徒步往來，要走整整一個下午，回到校門附近，四個銅板吃碗小餛飩。我別無嗜好，只此自得其樂。我的篆刻主要學秦漢印，也學一些清代諸家，興趣很濃。至於書法，早上四時起床，磨墨練字，初學龍門石刻中的《魏靈藏》、《楊大眼》、《始平公》，後來也寫過《張猛龍碑》、《朱君山墓誌》等。在一次書法評選中，得過好評。在寢室裏没有臺子，我就把一隻老式大皮箱擱在方櫈上當作臺子，坐在床沿上臨寫。

過了一年，和我一樣愛好美術的同學吳一峰，還有一位賈鎮廷，都轉到上海美專去讀書，我很羨慕，也想去，但父親不答允。他説即使要學畫，也應該多讀些書，讀書太少，不宜過早學畫，這樣我就繼續在澄衷中學讀書。這所學校的校長曹慕管主張讀經復古，爲了辦學宗旨和《新青年》雜誌主編楊賢江打筆墨官司，楊認爲這樣會讓學生中『國故毒』。曹校長不予理睬，每年指定學生自學一部古書。我記得學過《論語》和《漢書·藝文志》等。學期終了，舉行國文會考，請校外名人閱卷，名列前茅者有獎。有一次是請浙東名士馮君木來出題閱卷，我考得不錯，獎到一部《畏廬文集》和《畏廬文集續集》。

四

四年中學畢業後，我再次提出要求專心學畫，我父親同意了。他知道我要學中國畫，聽人説上海美專注重西畫，學中國畫到無錫美專爲好。一九二六年，我十八歲，父親領我到無錫，免考進入無錫美專。這事上海賀天健幾次開玩笑地揭我的老底，説我穿了一件曲襟背心，跟隨父親來考學校。無錫美專教師有胡汀鷺、諸健秋、王雲軒、陳舊村等先生。在同學中我認識了程景溪，他比我大兩歲，課堂上同坐一櫈，寢室内對床而眠。我搞到一部《畫學心印》，兩人合點一盞煤油燈，每每看到深夜。記得那時寢室在無錫石駁岸，借得一間廳堂房子，下面方磚地，冬夜方永，兩脚踏在方磚上，寒冷如冰，我們就各搞一綑稻草，把兩脚擱在稻草上堅持學習。到了將近放寒假時候，滬寧路上軍閥對峙，風聲日緊，我就不等放假提早回家。因爲在校期間對該校教員的水平有所失望，我就没有再去，希望找到當代第一流的畫家當我的老師。

五

其時蘇州王同愈勝之老先生在南翔僊槎橋東堍買進一幢洋房，爲終老之計。我有一位表兄李維誠和王老先生之子王仲來在東北同事，經過李維城的介紹，我帶了幾幅山水畫請王老先生指教。王老先生一見以爲可教，我遂有求師之意。他是前清翰林，在湖北、江西做過學臺提學使等官，也曾在吴大澂幕下做過事。通西學，學問淵博，在當時有書名，也能畫。他對我説，從前王石谷受知於王圓照，後來王圓照介紹給王煙客，煙客死後，王石谷每歲到其墓地祭掃。他把我當作王石谷，而以煙客自居，意思要我學習王石谷。

因爲我要學畫，王老先生就把我介紹給馮超然先生。他説：『我平生不爲人師，馮先生當代畫名第一，爾善師事之。』當時馮先生聲名極盛，不輕收學生，名列門墻者，都有一些來歷。但馮先生對王同愈尊爲前輩，敬重甚至，叫他『老伯』，王同愈一言，自無不允，否則以我一介鄉下小子，這事是不可能做到的。

一九四一年三月，王老先生亡故於上海，享年八十七歲。抗戰勝利後，我幾次到蘇州靈巖山下繡谷公墓爲他省墓，風摇宿草，不勝西州城門之慟。

一九二七年舊曆正月中，我十九歲由王老先生陪同到嵩山路馮先生寓所行拜師之禮。行過禮，馮先生第一句話就對我說：『學畫要有殉道精神，終身以之，好好做學問，名利心不可太重。』這句話，對我印象極深，終身銘記在心。他拿出一個臨戴醇士的卷子，記得是水墨畫，給我帶回家臨摹。這樣，我每隔兩個星期到上海一次，把臨好的本子請馮先生指正。興到之時，他爲我改幾筆。他在深夜作畫，凌晨停筆，我是早上八、九點鐘到他家，他尚未就寢。此時賓朋滿座，高談闊論，上至國家大事，下至家庭細碎，大抒己見，只是偶然帶上有關畫學的一、二句話。我們學生坐在旁邊靜聽，所以大家都没有看過他動筆。

這個時候，吴湖帆方從蘇州遷住上海。他是吴大澂的孫子，住家即在馮先生對門，一會兒來，一會兒去，一天不知來回多少次。馮先生要我叫他『湖叔』。我生平少交往，到了上海，只到嵩山路馮先生處，或跑跑裱畫店，如劉定之和汲古閣等處。那時只有跑裱畫店纔可以見到一些古畫名跡。除此之外，我一處也不去，所以除了幾位也常到馮先生家去的如徐邦達、鄭慕康等寥寥數人外，上海畫家，一個也不相識。

六

在馮先生處，除了他自己的作品之外，也可以臨到一些明清畫。馮先生的朋友買畫需求審定真僞，多拿到馮先生處請他過目。馮先生手頭有了好畫，常寫信給我，叫我到上海取去臨摹。有次他有一部極精緻的王東莊册頁，給我臨，臨好之後，我拿到上海，馮先生一見大爲贊賞，認爲可以亂真。其他也臨過吴墨井、惲香山等明清真跡，比在珂羅版上臨得益更多，且也擴大了眼界。其時没有博物館經常陳列古畫，只有到收藏家處可以看到一些。有次馮先生説要帶我到龐萊臣家去看畫，我十分高興，但説過幾遍終未去過一次。那時偶然在裱畫店看到一張王石谷的畫，就奔走相告，不比目前青年，見到四王，不屑一顧。今天在各地博物館，以及展覽會容易見到宋元名跡，所以對四王不要看了。實則四王未可一概否定，而應該批判接受。

七

馮先生有一位外甥名張谷年，比我大幾歲，隨馮先生學畫也早於我，當時是馮先生門下的高材生。有次我和張谷年侍坐在旁，馮先生指着我兩人説：『中國山水畫自元明以後，流傳有緒，不絶如縷，一條綫代代相傳，現在這條綫掛到我，你們兩人用功一點，有希望可以接着掛下去。』馮先生以正統自居，他的畫取法文、沈，下接四王，明净整潔，不愧大家。但他不希望學生象他，時常指着我説：『人家學生象先生，我有不象先生的學生。』不難理解，有些人總希望學生象老師，越象越好，不象就不高興。我有如此開明的老師，對我以後蓄意創新、自立面目，是有很大意義的。所以馮先生真是我的好老師，如果我有點成就的話，首先應該歸功於馮老師。

王同愈老師，對我也是諄諄善誘、愛護備至。我自從拜馮超然先生爲師之後，每月去上海兩次外，其餘時間，都在南翔，經常到王老先生家。他家距離我家不過一里多路，過僊搓橋，沿河往南不數十步，一帶圍墻，中間一座高大紅瓦的大厦便是他家。後來又添造書房一大間，延顧廷龍爲蒙師教授王老先生的小兒子以及孫兒輩。王老先生是顧廷龍的外叔祖，此時顧廷龍尚未考入北京大學，不過廿來歲，專治金石文字之學。我三、五天去王老先生家一次。王同愈先生在上海書畫界有很高的地位，賣字之外，兼亦賣畫，其時已七十多歲，有人請他畫，他就叫我爲他代筆，依照張谷年的賣畫潤格，付給我代筆

費。其時我纔二十歲，王老先生説我應該在年輕時多讀些書，我就每天晚上讀杜詩，對旁的詩家，都是讀選集，惟獨杜集，最爲心愛，故通體讀過一遍。我也學起做詩來。王老先生教我學做詩，宜從五律入手，我讀杜集中《遊何將軍山林》十首，做照着做了《遊王氏園林》十首。我曾向鄉中一名秀才先生學做詩，就把這《遊王氏園林》十首請這位秀才先生改正之後，再請王老先生看。王老先生説還是原作好，他應該是你的學生。當然這是他有意鼓勵我，提高我學做詩的興趣。

無錫美專的老同學程景溪，是青浦沈瘦東的學生，其時在無錫一家綢莊做帳房。他做詩有功力，尤其對宋詩有研究，設想新奇，出人意表，每發前人所未發。他把做的詩寄給我，我

或步韵作答，以提高寫作的水平，詩簡酬答，得益不淺。後來他移家海上，在一家染織廠辦事，我和他時相過從，直至今朝五十多年交誼不衰。

學詩之外，我也學古文，尤嗜太史公《史記》、《韓昌黎文集》。王老先生教我讀《世説新語》，我也學做散文。記得王老先生在僑寓南翔時，滬寧綫上又因軍閥内戰，風聲緊急，王老先生到上海暫避，走時不帶什麽行李，只捧了一部宋版《文選》到上海。過了一段時間，時局又平定下來，我在南翔寫了一封信給王老先生，中有一段説『節届中秋，江鄉景好，紅樹丹楓，頗有詩情畫意，大人何日歸來，一領清景乎？』後來王老先生回到南翔，説我這信寫得好。那時我不滿二十歲，這封信也寫得極平常，只是他鼓勵我。他説：『可惜你遲生五十年，否則的話，我將慫恿你應舉求功名。』我説生性無功名想，不會去應舉，他説這種事不由自主，就是他自己本來也不想應舉，到其間自會有朋友、親戚來敦促去考，這樣他就糊裏糊塗考上了翰林。他雖然是前清翰林，但腦筋一點不冬烘。有次他講起《紅樓夢》，能够把書中的回目都背出來，没有一點道學氣。遇事通情達理，我從未見他有驕傲做作，或盛氣凌人的時候。我生長鄉間，不接觸官場中人，也從未和一般縉紳輩周旋，完全是一個鄉巴佬，所以不懂禮貌。有次新年，我去拜年，長揖不拜，王老先生很詫異，因爲蘇州規矩是要跪拜的。於是我以後賀年都是行跪拜禮。其時王老先生已是七十多人了，我纔二十歲，他說和我是忘年交。他有事，總寫一便條差人送過來，稱我『儼少兄』。這種便條，前後我積有一百多張，丁丑之變在逃難中遺失了，至今思之，不勝惋惜。他回蘇州，熟人問他在南翔有否朋友？他說有一小朋友，能詩能畫。王老先生其實是我最實在的老師，就因爲他一生不爲人師，所以在名義上不收我這個小學生。他的爲人，給我影響很深，在學問上無微不至地關懷我，他有些收藏，如王石谷、王原祁等真跡都借給我臨，還有一卷王煙客長卷真跡，淺絳設色極精到，也給我臨，臨好之後，他給我題跋。我臨的這個卷子保存至今，每一展視，回想前事，懷念曷已。

八

一九二九年，我二十一歲，陰曆九月廿六日我和朱燕因結婚。新房設在南翔南市老屋內，寢室旁邊又闢一小間，作爲畫室，中設一畫桌，旁陳一榻，榻上堆置印刷品書畫册子。我没有收藏，只有一些珂羅版印的畫册、碑帖。我少時不太用功，晚上從不作畫，燈下讀書，最遲九時即就寢。日間作畫，也時作時輟，每在作畫氣悶時，即出去散步。有時我妻朱燕因聽不到聲響，以爲我在用心作畫，開户視之，不見人影，原來我到後面土地廟内小學閑散去了。她知道我又去小學校，習以爲常，不問可知。其時教師不再是我的大母舅，時常更換，後又換來一位姓朱的教師。這位教師不學無術，在一張通告上別字連篇。我看到好笑，認爲自己是這所學校畢業出來的校友，不能視而不見，就在上面用鉛筆爲他更正，並批上『小子知之』等不客氣的句子。學校前面不遠，住着一位前清翰林，名陳巽倩。此人武斷鄉曲，動了民憤，後被槍决。他當時是南翔鎮南市的一霸，建有一座鳳翥樓，娶了能唱京戲的小老婆，他自己拉胡琴，絲竹之聲，在小學校裏清晰可聞。這位小學教師就到陳巽倩處去告狀，説我有意侮辱他。陳巽倩對我父親説知此事。我父親深深責備我少年氣盛，鋒芒太露，必致後患。他在《聊齋誌異》中撿出一篇《辛十四娘》給我看，用廣陵馮生因衆辱楚銀臺公子而爲其所構，歷盡苦楚的事迹教育我，説『輕薄之態，施之君子，則喪吾德，施之小人，則殺吾身』，當引以爲戒。此事對我震動很大。以父親愛子之心，諄諄教誨，我本應堅决改正，而耿直傲兀之性一時難移，以致後來還因此吃苦頭。

一九三〇年陰曆九月廿六日，我婚後剛好一年，生了一個男孩。因是早晨生，取名晨晨，學名陸京，取其『大』的意思。朱燕因是獨生女兒，常帶了孩子回娘家去，我也同去。清溪一曲，田疇平展，村舍掩映，竹樹扶疏，得以深深領略到鄉村風味。我岳母又是賢慧勤勞，終日手脚不停，田間回來，帶些瓜果分給家人吃。又能做菜，平日飴糖餅餌，都是自製。我在鄉間，十分清閑自得。

我在家無事，不慣空坐，總是手執一卷，但讀書很少系統，亂抽一帙，涉獵而已。於古文好讀《史記》，下及韓、柳、歐陽修、蘇東坡以至歸有光，皆所耽習。於詩好李杜集，以及李長吉、李商隱諸選本。一篇上口，咀嚼涵泳，覺歷代宏篇名著，擷其精英，移之於畫，無非佳製。而讀本易致，隨處可以搞到，不比名畫絶品，難得寓目。竊以爲學畫而不讀書，定會缺少營養，流於貧瘠，而且意境不高，匪特不能撰文題畫，見其寒儉已也。我得到王同愈先生的指導，一面讀書，一面寫字，和畫分頭並重，互相促進。我自己有一個比例，即十分功夫：四分讀書，三分寫字，三分畫畫。我知道的東西不多，不會琴，不會棋，也不會其他娛樂，只有此三者有癖嗜，而且常常鞭策自己，要學得好一點，把詩、書、畫三者，當作我一生的寄託，鍥而不舍，定下目標，以不辜負諸位老前輩的期望。

王老先生再教我做小品文，要我讀《世説新語》。我因爲學畫山水，所以加看《水經注》，更多看柳宗元《山水記》、《蘇黄題跋》等，注意字不妄下，取其簡要清通，明潔永。一畫纔成，輒題數行，二者互相發明，寄託遥深，成爲有血有肉的組成部分，使覽者心馳畫外，同時又增加畫面的形式美。

九

好景不長，當時民族危機四伏，尤其『九·一八』之後，日軍步步進逼，山海關外已淪於敵手，關内也是風聲鶴唳，燕巢幕上，隨時有傾覆的危險。南翔古猗園竹枝山上，邑人籌建一亭，缺其東北一角，取名缺角亭，想將來收復東北失地，再補上一隻角。但在當時，瞻望前途，一團漆黑，是否能補上，大家都説不出。雖然我有時也義憤填膺，吟詩洩憤，但畢竟書生無補。

一九三二年一月二十八日，日軍侵犯上海，濫施轟炸，慘絶人寰，引起十九路軍的英勇抵抗。炮火連天，震耳欲聾，我在南翔，首當其衝。當時只有仰息於上海租界，我隨父親母親遷到上海。由南郊進入租界時已近黄昏，天氣轉涼，我肺素弱，感冒風寒。到了上海，咳嗽大作，歷時一月有餘，一直不愈，無法平卧，轉輾床褥，困頓之極，這樣就種下了我氣喘病的根。痼疾在身，至今五六十年糾纏不愈，這也是日寇對我的摧

殘，要記在日寇的帳上。後來戰事中止，回到家鄉，一片焦土。我家老屋雖幸尚存，但門窗全無，只剩空殼；收拾劫餘，重置爐竈，父親米店也已關閉，時常聽到他的嘆氣聲。王同愈老先生一去上海，也不回來。在南翔無可談詩論畫切磋之人，時局至此，亦無此心情。我獨往獨來，雖在市廛，而荒江寂寞，有置身沙漠之感。

十

一九三三年我廿五歲，四月間父親去世，料理喪葬，過時而哀。老二女孩阿旻生，取名陸辛。一九三四年春，我的小學同學金守言在浙江武康縣上柏山中辦農場，他約我遊西天目

山。我先到他住的上柏山中。只見滿山松樹，中間茅屋幾間，溪水從屋後瀉下，潺潺有聲，山光鳥語，清幽絶塵。每晨起，空氣中散發着陣陣樹清香，令人貪婪地多吸幾口。我肺弱，傷風感冒，長年不愈，住了幾天，感冒霍然好了。宿疾一去，精神振奮，四體舒適。這種新鮮空氣，比藥還好。於是金守言説山中地價不貴，可以種植的山間平地，不過十元一畝，勸我買下二十畝，也可以辦起農場來。我説農事不懂，他説在他附近買地，他可以幫我代管。我計算一下，不免有些心動。

在他家住了一個星期後，我們自上柏山出發，先到杭州，轉乘杭徽路長途汽車，至藻溪下車，步行二十里，到達山麓禪源寺。這是一座大寺院，和尚有幾百人，房屋宏偉，有幾百間，寺後柳杉皆大數十圍。在寺中宿一宵，明發上至老殿。十里間，松杉夾道，交枝接葉，日光下漏，衣袂盡緑。到了老殿，破屋幾間，荒廢已極，病僧一二，生活其間。吃了中飯，遊倒挂蓮花，峭壁直上，勢極崚嶒，爲西天目最勝處。又至獅子口，危屋倚巖而築，於此看雲海最好。傍晚下山，再宿禪源寺，計宿兩宵，吃早飯兩餐，晚飯兩餐，餐宿費每人五角，真是便宜之至。早飯後步行二十里，回至藻溪，在車站上看到有去歙縣的車子，一問人家，到歙縣可上黄山，於是兩人商量，決定趁便往黄山一遊。

到達歙縣後，必須徒步走一百二十里，纔能上黄山。走到楊村時，已是下午四時許，天黑如墨，陣雨將至，遂進村向農家問訊有否住宿之處。走進一户農家，只有幾個小孩，没有大人，言語又不通，於是轉身出來，繼續趕路。走出村子，忽聞後面大聲吆喝，要我們停下來。往後一看，有一、二十人，手持器械，上身赤膊，我們以爲遇到了强盜。及至近身，却是一群青年農民，誤認爲我們是壞人，因而結伙趕來。一場誤會，經過解釋，虚驚化爲熱情，他們邀請我們兩人到一所小學内歇息。時大雨如注，傾盆而下。吃過夜飯，和一位小學教師同睡一屋。屋内放着一具空棺材，老鼠上竄下跳，加之雨聲不絶，雷電交加，終夜吵擾不止。好在走路辛苦，勉强睡得。一早起來，雨過天晴，四山宿雲未收，澗壑奔流，四處是水。赤足前行，於下午一時許到達湯口，浴於温泉。這是一個四方池子，和石濤所圖者，並無少異，只是上面蓋有瓦頂，可蔽風雨。三時許浴罷，拾級上山，道路傾欹，極不好走。漸走漸黑，抵文殊院已近八點鐘。摸黑進去，屋内燈光如豆，一二老僧，拿出幾個燒餅，給我們充饑，草草供具，一宿無話。明晨起身，開户出視，蓮花蓮蕊諸峰四圍拱揖，不類人間，真同僊境。此時天都峰路壞未修，不能登攀，遂經蓮花溝、百步雲梯、鯽魚背，於中午到達獅子林。山中絶無遊人，只是我們兩人，踽踽而行，也没有向導，所以一路名勝，遺漏甚多。獅子林在松林中間，老屋傾圮，一個中年和尚，面有菜色，他也没有東西給我們吃，煮了一些面條款客。下午登始信峰，也未知排雲亭、飛來石等名勝。夜宿獅子林，被頭甚髒，而隔壁似有撕紙之聲，一夜不絶，未能好睡。翌晨循九龍瀑而下，根本没有道路，在大石上左右跳躑，覓得歸路。黄山之遊，遂告結束。從此我方纔再一次見到名山，感到祖國的偉大，油然起愛慕之心。下山之後，仍由來路回歙縣，中間宿潭渡，在一家宿店過夜。兩人睡一晚，吃夜飯早飯兩餐，結帳不過共五角錢，在皖南當時如四明銀行、中國實業銀行等所謂小四行的鈔票不能通用，只通用中國、中央兩銀行的鈔票。而我們手頭無零錢，拿出一張中國銀行五元大票，宿店老板無法找，跑遍整個潭渡鎮，也兑换不出五元大票。最後由老板娘到一家油醬店裏買了一瓶醬油，懇商之下，方得零票，於此可見當時山區之閉塞，民生之窮困。

十一

因爲自己别無他長，當時賣畫又極端困難，故常爲生計所擾。象馮超然、吴湖帆等名家，當作别論。一般畫家，靠開展覽會過活。所謂開展覽會，不一定要畫得好，第一要靠有人捧場，看闊佬的面色，必須迎他們的心理，阿諛奉承，得其歡心。有人甚至把賣畫比作妓女，其實有錢人一般看畫家不比妓女高。我厭惡這種賣畫生涯，最好做一個自作主張，不因人熱的國畫家。但是家中薄産，不足以贍家，養不活一家老小，終須另行想出一條生活之道。遂想到朋友金守言的建議，辦農場倒是一條出路。我母親三十歲出嫁，當閨女時靠針綫生活，積有一些私房錢，後來投資族中合股經商，有些嬴利。我説服母親，拿出錢來到上柏山中買山地二十畝、荒山二十畝，辦起一個小小的農場。種了十畝燕竹，十畝梨樹，又種些茶葉等作物。造了三間瓦房，作終老之計。地點在上柏山福慶塢。此地東離杭州四十公里，西去莫干山麓僅十餘公里，又在公路邊，交通便利，距市集近，伙食品供應方便。上柏山是莫干山的支脉，在山頂上可以望見莫干山主峰的房屋。當時一年在莫干山避暑所費，就可以在上柏山買幾畝地建造幾間冬暖夏涼的草屋。於是招徠了一批上海人前來買地，前後竟有十幾家。我的朋友金守言就是其中一家。我去之後，老師馮超然極力贊成。他說有些學生學畫之後畫賣不出去，最後一條路到銀行去做文書，只有我獨出蹊徑，身居山中，將來年老也可

以出來賣畫，那就身價不同，所以説我這條路走得對。王同愈老先生知道之後，也託我買了幾畝山地，寫信給我，有『把臂入林』之語。我時常往來於杭滬道上，平常幾個月住山中，其餘時間，託給金守言代管。

十二

我家父親死後，母親當家。我心想將來辦了農場，不再賣畫，可以做到衣食給足，那末畫賣也好，不賣也好，自己要怎樣畫，就怎樣畫，不必仰息他人，受人之氣。所以在這段時間裏，我除了辦農場，做些輕便能勝任的工作，還是一心鑽研詩、書、畫三者，以期有成。我種了十畝梨樹，十畝燕竹，集杜詩『修竹

不受暑』，紅樹迴得霜』爲聯；又集陸放翁句『野老逢年知飽暖，山家逐日了窮忙』爲聯，懸之壁間以明誌。福慶塢内原有幾家土著，炊煙相望，鷄犬之聲相聞。此時蘇州費新我也來買地，與我隔澗爲鄰，已壘石爲屋基，尚未動工建屋。抗戰軍興，此事遂廢。我與費新我本不相識，僅知名姓而已。解放以後，在滬上邂逅，同是文藝界中人，言及此段因緣，相與大笑，引爲巧遇。

十三

一九三四年我二十六歲，此時日本軍國主義者加緊侵略中國，既陷東北，凶燄日張，平津也早在其覬覦之中，旦不保夕。有人勸我北遊，説當今不去，後日淪爲異域，欲去不能。

於是我覓得張君爲伴，於五月初，作北遊之計。乘津浦路先至徐州，觀古淤黄河；再至曲阜，參觀孔廟、孔林；然後至泰安。由岱廟登山，經南天門，至玉皇頂，已近黄昏，得觀日落之景。翌日黎明登日觀峰，日未出，四山皆黑，東方一抹魚肚白，天風滲然，凜然起慄，寒甚，乃擁棉被出看。須臾，一輪紅日，躍然而起，甚爲壯觀。在家出發前，有人介紹説泰山後山甚佳，乃至後山，只有一尼庵，未見勝處。乃廢然而返，即下山，還至岱廟側，見有蘆席棚，裏面説唱正開場。一女子在唱山東快書，如鶯聲嚦嚦，清脆悦耳，意必妙齡女郎，及至散場入看，乃一黄臉老嫗，深以爲異。於是欽佩北方語言聲調之美，想到《老殘遊記》中所述聽黑妞説書一段，至爲親切。翌晨繼北行，至濟南，遊大明湖，登歷下亭，觀趵突泉。然後北經天津至北平。在一胡同中（名已忘）臨時租到房屋一間爲落脚點，預計住一個月。逐日遊玩北平名勝古跡，街坊市集，如故宫、天壇、中山公園、團城、中南北三海、西單東單、西四東四等處；又至青龍橋看長城，妙峰山觀太行山色；西北至大同，觀雲岡石窟。大同至雲岡約三十華里，公路未通，乘人力車前往，一帶平岡，四周黄茅白草，滿目荒涼，並無建築，而佛像斷肢缺頭，殘損已甚，任其荒廢，無人管理。回至北平，束裝就道，歸途經天津乘海輪經煙臺、威海衛而至上海。前後約五十天，此我遠遊之始。得觀山海之大，通都大邑關隘津梁之宏偉，而念此壯麗河山，險阻不守，强敵窺伺，長驅直入，危不可恃，心實憂之。

我生長大江入海處，千里平京，不見高山巨谷，長林飛瀑之勝。前此雖遊過天目、黄山，不過東南一隅；北遊歸來，乃大開眼界，看到多種山的典型風貌，不同皴法，不同樹法，以及山的走勢，丘壑位置，並記在心，參酌往昔前人筆墨，及其位置經營，看他們觀察實際，如何增損變换，創造新法，得到啓發。既到實地觀察，落筆就膽大，運用自如，少有顧慮，不比尚未到過，只聽人講，或照相介紹，總是心虚，落筆猶豫，膽子不大。於此可見，學畫山水得到一些傳統技法之後，必須到外面去看實景，歷覽名山大川，心胸擴大，意境自高。

十四

一九三五年我二十七歲。五月中，國民黨政府舉辦第二届全國美展。除現代人作品之外，展出故宫以及私人收藏歷代名跡，其中精品有一、二百件。我特地去南京觀看，住在表兄李維城家中，朝夕到場觀看，前後一星期有餘。先大體看一遍，然後擇其優者一百幅左右，細心揣摩，看它總的神氣，再看它如佈局，如何運筆，如何渲染，默記在心。其中最所銘心絶品，如范寬《溪山行旅圖》，董源《龍宿郊民圖》、李唐《萬壑松風圖》、郭熙《早春圖》、傳董源《洞天山堂圖》、宋人《小寒林卷》，以及元代諸大家，如黄子久《富春山居圖卷》、趙松雪《枯木竹石圖》、高房山《晴麓横雲圖》等等。我早也看，晚也看，逐根綫條揣摩其起筆落筆，用指頭比劃，閉目默記，做到一閉眼睛，此圖如在目前，這樣把近百幅名畫，看之爛熟，我自比『貧兒暴富』，再不是閉門造車，孤陋寡聞了。後來在上海預展赴倫敦中國畫展，也有故宫名畫，僞教育部在重慶也展出過故宫名畫，如巨然《秋山問道圖》、趙松雪《鵲華秋色圖》等。我總是仔細觀看，不放過一切看畫的機會。人家説『熟讀唐詩三百首，不會吟詩也會吟』，我説『熟看名畫三百幅，不會作畫也會作』。這樣仔細看，逐筆看，也是一種讀法，其效果等於臨摹，而且如果仔細的看，勝過馬虎草率的臨，收益還大。有些人説我對中國山水畫有些傳統，認爲一定臨過很多宋元畫，其實我哪裏有機會臨宋元畫，如果真的有些傳統工夫的話，也是看來的，而且看得也不多，解放以前，也僅僅是以上幾次而已。就是我仔細看，看進去之後，就能用到創作上。當今七十多歲，還在吃這些老本。

看古名跡，還可提高識辨。看到了第一流的作品，以此爲標準，此後再有看到，用此作比較，好壞就一目了然。眼光提高了，再加以相應的肌肉鍛煉，手就跟上來，這樣就前進了一步。我自己感覺到，看一次名跡，手中就提高一層。這些好畫，無不從生活而來，自古大家無不在傳統的基礎上，看山看水，做到『外師造化』，然後有所取舍，加入一己的想法，所謂『中得心源』。我這幾年走過不少路，也看到一些名跡，對學習山水畫，有了一定的基礎，所以也可說我這幾年，是關鍵的幾年。

十五

當時吴湖帆的畫有天下重名。他設色有獨到處，非他人所及。我有八字評他畫：『筆不如墨，墨不如色。』如果也走他這條路，研求設色，雖然他的法子可以學到，然其一種婉約的詞境，風韵嫣然的嫻静美，終不能及。人各有所禀賦，短長互見，他之所長，未必我亦似之；而我之所長，亦未必他所兼有。我自度禀賦剛直，表現在筆墨上，無婉約之致，是詩境而非詞境。他主嫻静，而我筆有動態，各不相及。所以如果走他的路，必落他後；而用我所長，則可有超越他的地方。同能不如獨詣，於是我注意綫條，研求筆墨點綫，筆筆見筆，不欲以色彩取媚。絶去依傍，自闢蹊徑，以開創新面目。正因爲突出綫條，所以不用重色，少施石青石綠等礦物顏料，以免掩蓋筆跡。這樣我的設色，也不同於吴湖帆之設色，即使青綠設色，我也有自己獨特之風格。記得在文化大革命前，吴湖帆有一小手卷，共十二段，每段請一畫家畫他的齋名一處，其中也要我畫一段，且指明要畫大青綠。我不用吴湖帆的青綠法，吸取敦煌以及唐畫勾綫，參以趙孟頫、錢舜舉法成之。即在青綠設色中也突出綫條。劉海粟一見大爲賞識，謂可作宋畫看。

我有倔强勁，自有想法，不欲蹈襲前人，所以後來我畫梅花，也以綫條見長，屈曲奇古，疏枝淡韵，不同一般。有人説我發干學陳老蓮，我自認有學他處，但不盡同，他發枝綫條，純用中鋒，而我中鋒偏鋒互用，以求變化。陳老蓮用兩筆圈花，我則一筆圈成。有些象石濤的方法，但我用整飭一變石濤的爛漫。我主張爲學當『轉益多師是我師』，集衆家之長，而加以化，化爲自己的東西。畫如此，寫字也同樣情形。寫字切忌熟面孔，要有獨特的風貌。使覽者有新鮮感覺。而臨摹諸家，也要選擇字體點劃風神面貌與我個性相近者。重點要看帖，熟讀其中結體變異、點劃起倒的不同尋常處，心摹手追，默記在心，然後加以化，化爲自己的面目。我初學魏碑，繼寫漢碑，後來寫蘭亭。最初學楊凝式，旁參蘇、米，以暢其氣。但我對此諸家，也未好好臨摹，不過熟看默記，以指劃肚而已。楊凝式傳世真跡也不多，我尤好盧鴻草堂十誌跋，但也未臨過，不過熟看而已。楊凝式書出於顔魯公，但一變而成新調。黄庭堅說：『世人競學蘭亭面，欲換凡骨無金丹。誰知洛陽楊風子，下筆已到烏絲欄。』就是稱譽其不是死學，而化成自己的新意。我們學楊凝式，也應該學他的精神，在他的基礎上加以變化。所以我學楊凝式，不欲亦步亦趨，完全象他。因之有人看到我的書體，而不知其所出。這是我的治學精神，不拘書法，作畫，貫穿終始，無不如此。

十六

一九三六年我二十八歲，上柏山中經過幾年的經營，燕竹漸漸成林，梨樹嫁接之後，逐年長大，高過人頭，山中房屋也基本落成。這年冬天，乘一隻空船前往德清裝荸薺之便，把我的

一些家具，主要是燕因的嫁妝運到山裏。過了年，即一九三七年，我二十九歲。春天，老母、妻子、兩個小孩都移家到山裏住。我山中的家離開公路不到半里路，到上柏鎮約二里路。早上我騎了自行車到鎮上去買菜。上柏鎮西南接莫干山餘脉，東北乃湖州水鄉，所以山中野貨和水鄉魚蝦在市上都能買到。上柏是武康縣中最大的一個集鎮，我認識一位老中醫名張之石，在鎮上開業。我每天到鎮上買菜，在他家歇脚，他總泡茶款待。

當時一般自上海來上柏的人，大都作暫時居住之計，取其冬暖夏涼，所以造的是草屋。我因全家來住，有終焉之意，所以造的是瓦屋。一排三間：明窗南開，正對小山，清泉一縷，

瀠瀠繞階鳴，雜植花木於其上；大門北向，門外修竹數十竿，樟木一株，長松三數本，下俯小池，逕路穿竹林而過。我從山澗掘得蘭花數十叢，植於竹下，春來花發。香溢林表。山溪外横，過小橋，即梨園竹林，日讀書，勞動於其中，以冀苟全性命於亂世。

十七

詎知其年秋間，日冠步步進迫，風聲日緊。我懸念岳母猶在南翔山間，她只有一個獨生女兒即我妻朱燕因，事急無人照顧，我遂與燕因回至南翔，迎岳母來山同住。不久燕因忽患傷寒症，數十日粒米不進。山中別無他醫，友人張之石日來診

視，不見好轉，我憂心如焚。正在此時，『七七事變』起，京杭綫上，兵車晝夜不止，謠言一日數起，上柏山中勢不能安居。燕因雖在傷寒後期，危險已過，但胃納仍不佳，又懷孕在身，無法乘坐轎子，乃卧於棕棚之上，由二人肩負而行。遂遷居離上柏山二十里地安吉境内簰頭鎮。其地在深山之中，交通不便，四面竹林茂密，認爲可以暫避。住了一月左右，風聲日緊，同來有四、五户人家，商量之下，認爲再住下去，道路一斷，就無法再走，總覺不妥，遂決計再行。此時燕因可以坐藤椅，以兩竿擡而上路。經臨安、富陽而至桐廬，改雇小船溯江而上。深夜至衢州，城門未閉，遂捨舟登陸，奔至火車站。適有一列火車西行，乃搭車而西。在火車上，我遺失皮箱一隻，有王同愈老

先生給我便條百餘紙，雖千金不易，惋惜之至。直至南昌，轉南潯路至九江。一路過去，日機尾追轟炸。在九江也不太平，坐守逆旅，毫無辦法。在江邊泊有帆船，知他們將去武漢，乃搭船而行。江上風急天寒，蜷縮艙内，以至漢口。同來幾户人家打算乘粤漢鐵路火車去廣州，再由香港轉回上海。我想上海四周淪陷，已成孤島，去也無益，我不能當日寇順民，由於中華男兒的義憤，纔冒險出來。别人逃難，大都有所憑藉，只有我拖了一家六口，上有老、下有少，無依無靠，歷盡千辛萬苦來到此地。此時漢口外圍時遭空襲，也非樂土，不能久住。在漢口街頭適遇表弟朱聯雨，他在南昌兵工廠工作，工廠内遷，押運一批器材去四川重慶。他在漢口，還有一些躭擱，由同來吉先生押船繼續西行。此際在漢口根本買不到往西的船票，我一家遂附了兵工廠押運船，上溯西行。到了宜昌，我想總可以喘一口氣，遂租了一間房子，辦起炊具，等待燕因分娩。過了半月，燕因臨盆，生了一個男孩。他是我第三個孩子，因在逃難中所生，取名『阿難』，又在男孩中行列第二，故名陸亨。我家在我一輩，以『祖』字排行，所以我名同祖，因爲我和祖父生肖都是屬鷄的。我哥哥因祖父亡故時還在母腹中，尚未出世，只聽見祖父的聲音，而不見面，故名聰祖。我兒子一輩以一點一劃排行，大兒名京，二女名辛，三兒名亨，取元亨利貞之義。燕因分娩倒還順利，而我母親，年近七十，忽患腸胃病，痢疾不止，延醫服藥，真是雪上加霜。在宜昌生了孩子，已是陰曆十二月中，準備過了新年再作打算。不料纔過十二天，宜昌又被炸。在街上看到被炸傷員接連擡過，血肉模糊，驚心怵目，慘不忍覩。況且每天有警報，提心吊膽，遂決計再走。此時我知道表兄李維城在重慶任第二十兵工廠廠長。取得聯繫，遂由兵工署駐宜昌辦事處，弄到船票，扶了兩老，懷抱新生的小阿難，全家西行。

十八

一九三八年二月到達重慶。到了重慶，在城内怕轟炸，在鄉下怕土匪，計無所出，不得已去投奔表兄李維城，以雇員名義在秘書室任事，住在廠内宿舍，稍得安定。到了夏天，敵機

時來轟炸，重慶常在警報之中，兵工廠也是目標，於是計劃疏散。在廠後山凹内圈地建房，大興土木。我被調至營繕科工作，認識了營繕科科長王冶，及技術員陸孝崙。他們兩人都是唐山交大畢業，酷好文藝，知道我是逃難而來，不得已而在廠内任事，他們欣賞我的書畫藝術，於是相得無間，從不以下屬待我。我的家也搬進和疏散地點相近的劉家花園大院内。不多久，工廠擴展福利事業，計劃辦起農場，種蔬菜，養豬、養牛。我介紹朋友金守言從上海來到重慶，任農場主任。李廠長把我調到農場任事務員，因爲在熟人下面辦事，可以隨便些。但是我也從不偷懶，幫助金守言經營農場記工，記帳，領料接洽工作等等。不過在空閑時間可以寫寫字，看看書，或者在家裏

畫些畫。積得一些數目以後，在兩路口上面租到會場舉行了一次個展。開個展我没有靠山，也不會交際，所以成績是不好的。但也碰到一些知音人，認識了陳樹人、陳之佛、沈鈞儒、常任俠等諸位先生。後來我也去看過豐子愷先生，他住在沙坪壩，在一個平岡上造了幾間草屋，前後矮籬遮護，記得還養了幾隻鵝。豐先生平易近人，因無人介紹，我便自己闖進去，他不以我冒昧，後來還和我通過信。

一九四一年我三十三歲，是入蜀的第三年，第四子陸亶出生。此時我從劉家花園大院遷至旁邊佃舍居住，可得平屋三間。養了鷄，也喂了猪，屋旁餘地種些菜。兩個大孩子進了子弟小學讀書。廠裏供給職員柴、米、油、鹽。因田水不潔，長江

水可望而不可即，飲水極爲不便，而此時劉家花園已歸兵工廠收購充當職工宿舍，爲此把長江水抽上來供飲用，真如老杜所謂『斗水何值百憂寬』了。

十九

我在入蜀前行李中只帶一本錢註杜詩，閑時吟詠，眺望巴山蜀水，眼前景物，一經杜公點出，更覺親切。城春國破，避地懷鄉，劍外之好音不至，而東歸無日，心抱煩憂，和當年杜公旅蜀情懷無二，因之對於杜詩，耽習尤至。入蜀以後，獨吟無侶，每有所作，亦與杜詩爲近。我曾寫滿薄薄一個小本子，可惜後來丟失了。現在回憶出來，已是十不存一。一九五〇年我畫

過一個《杜陵秋興詩意》卷子，共八段。卷尾贅以蜀中秋興所作，不敢仰攀杜公八首之數，僅得六首，其他則茫然矣。茲録如後：

其一

萬里傷浮梗，八荒共陸沉。
樓高驚客眼，春動見天心。
緑竹倚花浄，清江隱霧深。
家山無短夢，巴蜀入長吟。

其二

初寒生昨夜，薄霧又今朝。
江水無窮極，秋天正寂寥。

懷歸東路永，涉世後時凋。
歲晚青松意，同心倘可招。

其三

客裏驚年换，天隅覺事非。
江雲寒不舉，蜀雨斷還飛。
無復乘高興，直成逆浪歸。
浮鷗吾語汝，日暮更相依。

其四

急急雁鳴度，團團蟾影臨。
商聲移古樹，秋色滿高林。
城闕驚寒事，風霜向暮砧。

側身當此日，還對蜀江深。

其五

雲天看雁過，晴雨到鳩疑。
山色秋多興，江光晚與宜。
折花疏寂歷，倚樹小欹危。
九日虛佳節，三年實在兹。

其六

遷疏宜畎畝，出處各生平。
即事非今古，哀時尚甲兵。
寒憐秋樹瘦，明愛晚山晴。
後日誰能料，空懷植杖耕。

也只在此時，即事懷人，作詩較多。這幾首詩，也記録了我當時的感情。抗戰勝利出峽後，此事遂廢，時或經歲不作一詩。

二十

我在兵工廠，雖然是一個小小的農場事務員，但謬有文名。後來我的親戚李維城調至昆明，我一家老少，無法再動。繼任廠長陳哲生，我與他並無淵源，但是他對我另眼相待，當遷廠興建落成，爲叙述遷建經過，樹立一石碑，即要我撰文書寫。因此我在農場事務之外，可以在家畫些畫，漸漸積成若干件。

一九三九年我三十一歲，暮秋，帶了畫件到成都舉行個展。我久已向往西川風景之美，自入蜀來，三年之中，蟄伏重慶，只是偶或到過南温泉、歌樂山等處。我認爲到了四川，不到青城、峨眉，是爲虚行，常蓄志一遊，以償夙願。這是我到成都舉行個展的主要目的。由重慶乘長途汽車出發，中途在内江宿一夜，抵達成都之後，舉目無親，只認識老友吴一峰，稍事活動，相識了一些人。有人説到成都舉行個展，必須拜訪四川省教育廳長郭有守。他住在華西壩齊魯大學内，我帶了一件作品去了。見過之後，他看了畫説：『在成都開畫展，人事第一，作品第二季。』我説：『二十年學畫，未學人事。』他説：『那是開不好的。』我説：『既然來了，請大家看看。』後來我在小客棧裏燈下草了一篇啓事，其文曰：

『儼自知學問，好弄筆墨。比來二十餘年，不敢自謂遂窺六法藩籬。顧於往哲名跡，略得寓目。間覽山川，留情雲樹，每成一圖，廢寢忘食為之。覺古人造化，所在俱師，心神通悟，情性移化，襟懷既曠，風節斯厲，詩為心聲，畫貴立品，夫豈異哉。良亦木强之姿，不能委順時俗，是以樂誌田畝，耒耜躬操。冬夏讀書，春秋出遊，窮巖幽谷，與到足隨。況以西川山川風土之美，向往之情，積有日矣。會更喪亂，因緣入蜀，乃逼賤事，四載巴渝，輒用為嘆。今則幸遂夙誌，將登峨眉，上青城，卷軸自擕，道出上郡，竊欲問藝於賢達之前，得一言以為重。夫物有感召，賞音匪遠，

而敝帚自珍，固亦不作善價以沽。嚶既鳴矣，求其友聲，
惟褒惟貶，可師可友，並世君子，幸有以教之。

後來四川名士芮敬于先生說我這篇文章有東漢人氣息，經他揄揚，畫展得到好評，有的人甚至說爆出一個冷門。

儘管如此，没有後臺捧場，賣畫成績是不會很好的。但也多少賣了一些，足够川旅費以及一切開銷，我又補充了若干幅，準備下一個碼頭到樂山去開畫展。此時武漢大學西遷在樂山，畫展期間，校長王星北和教務長朱光潛兩先生來參觀。他們說到四川以來看到最好的一個畫展，這對我鼓勵很大。我回重慶之後，朱光潛先生還給我一封長信，討論美學和繪畫的事，可惜這信後來丟失了。我的畫在樂山也賣去一部份，又

補充了一些，接着又到宜賓去舉行畫展。三個碼頭跑過，歷時三個多月，回到重慶，已是初春時節。在廠區遇到陳廠長，我說：『請假時間未免太長了。』他說：『象你這樣的人，國家應該養你。』我不知道他的本意如何，但聽起來心裏甜滋滋的。

此行認識了一些人，如在青城山上清宮，經老道介紹，認識了彭襲明。他是江蘇溧陽人，獨自一人逃難來四川，住在青城山。他比我大兩歲，此時三十三歲，尚未娶妻。能文能畫，善書，有武術，住在張大千樓上，但兩人從不交談。八一年去香港，和他見了面。他以教畫爲生，已是七十多歲的老翁了，還是没有老婆，真是一個異人。

此行遊歷了青城、峨眉、大佛寺等名勝。我到樂山已在十

一月中，峨眉下過初雪，人們説已是封山季節，不能上去了。我慕名峨眉已久，今日已到山麓，佳景在前，豈能不去，能上多少即多少。在重慶時，聽人介紹説峨眉以後山最勝，遂準備從後山上，前山下。於是從報國寺出發，經過白龍潭，下午一時到洪椿坪。實則我誤聽人言，由正面上山，可以暢遊洪椿坪以下如伏虎寺、純陽殿、萬年寺、清音閣、雙飛橋、牛心石、黑龍江棧道等處，坐失勝覽。本擬下山可補上，而人事不可預知，下山病足，雇揹子仍由後山而下，不經前山，至今引爲憾事。在洪椿坪時，因爲飯已開過，不再供應。我吃了些乾糧，就繼續前進。和尚説：『上山到九老洞，還有三十里，都是石級，路不好走，中間無人家，還是在此宿一夜，明天覓伴一路走爲好。』

我想時間尚早，遂不聽他勸告，獨自一人上山而去。行了一段路，不過午後三點多鐘，霧雨濛濛，天象黑下來的樣子。路的兩旁，叢篠高過人頭，不知是鳥是獸，啼聲怪異，此起彼落，我開始有些慌起來。鼓足勇氣，略不稍息，於五時許到達九老洞。衣履盡濕，和尚説我一天跑到九老洞，走得快。於火上烘乾衣服，明晨繼續前進。將近洗象池，一路冷杉，中鮮什樹。雖已下過雪，但天色轉晴，路上雪已融化，不過天寒很少遊人，所以猴群也已遠去。繼行至大乘寺，午後登金頂，宿卧雲庵。也是重慶友人介紹，説晚間在舍生崖上是俯瞰佛燈最好的去處。因遊客稀少，和尚不作接待工作，在做『雪蘑芋』（雪蘑芋是峨眉名産。用橡栗做成豆腐，利用峨眉山頂冬季酷寒，經過結冰曬乾而成）。門外，雲海千層，仰望上穹，青蒼無際，日光斜照雲層之上，經過折光，形成光環，人影映在光環之中，是謂『佛光』。入晚雲開山露，舍生崖直下萬丈，谷底叢翠之中，燈火數十盞，徐徐移動，是名『佛燈』。此在青城山上清宫，入夜於趙公山中，多有數百盞，同此情景，名曰『聖燈』。實則同爲一物，但磷火青色，而此燈火，其色帶黄赤色，可知並非磷火，却不知何物。在山頂宿兩宵，稍作遊覽，即下山，而兩脚沉酸，不能舉步，勉强回至大乘寺，宿兩宵，仍不見愈。和尚爲覓一揹子。所謂揹子，乃一壯漢將一木架横置肩上，我憑軾而坐，兩手適及其頭頂。壯漢手持木杖健步如飛，杖端鐵釘，觸及石蹬，錚然有聲。想取便近，他也取道後山而下，以致雖到峨眉，於諸勝蹟，交臂失之。

此行我自陸路至成都，至成都後至灌縣、上青城觀水離堆。於是沿岷江乘木船下五通橋，經樂山、犍爲而至宜賓，改乘小輪經瀘州、江津而回重慶。中經樂山大佛，小南海石壁諸勝。名山歸來，造化啓發，每多佳想。我常謂域内山水，以四川爲第一，匪特震爍人口有名人之處，佳麗自不待言。即如尋常一丘一壑，平岡遠岫，叢林仄逕，無有不可觀者。自劉家花園東行約三里，有市集曰馬家店者，集後平巒一帶，有次秋雨乍晴，嵐翠猶濕，白雲紅樹，爛然如錦。因憶惲南田有記黄子久《秋山圖》一文，讀之不勝神往，而名跡久堙，結想爲勞，及今忽見此景，驚呼『黄子久，黄子久』，恐黄子久猶有未到處。一旦得之，引爲快事，歸後不能忘懷。數日後重到，山巒猶昨，而神采頓殊，遂致索然無味。猶以爲晴雨不同，故相差異。後於雨後再往，亦非舊觀，固知觀山須有緣，即如勝境，更須天時，始稱聯璧。

二十一

在重慶期間，公餘每以片紙雜抄唐宋詩文，既不臨帖，復以己意爲之，成爲似隸非隸的書體。這種書體横劃闊而竪筆細，也不同於金冬心之漆書，我自以爲有古拙意。山東王獻唐先生極稱之，我也以此寫信給馮超然先生，及勝利回來馮先生斥爲『天書』，不好認識，我自己後亦厭之。我書法面貌數變，這是最突出的一次。書畫家一生面目不能一成不變，長作此體，説明他坐吃老本，不動腦筋。我要發奮自勉，到老有變。書如此，畫亦如此。

在重慶，工作之餘，無可消遣。而江邊一帶，卵石平灘，連綿數里不斷。此種卵石，只有浸在水中方見色彩花紋。故只有在水陸交界處，沿着水綫，細心尋找察看，碰上運氣，纔有所獲。我一有空即到江邊撿拾，前後六、七年之間，取精汰劣，最後得七枚。最佳一枚，作鷄心形，淡石緑色，上有翠竹一竿，挺然而立，下有蘭草一叢，如同天成，極爲難得。又一枚質如白玉，墨緑花紋，梧桐之下，一古裝仕女獨坐吟詩，神情宛肖，栩栩如生。又山水一枚，石質極細，黑色花紋，林巒村舍，曲折可見；背面平沙落雁，平沙一帶，秋雁一行。此外尚有秋林夕照，梅雀寒林圖等，皆屬上品。同時也拾到一些螺紋五色石，皆如南京雨花石所産者，不成物象，雖也可觀，但多看乏味。亦猶畫中之抽象派，品下一等，終不若有形象可求者爲無上神品。我一向主張作畫宜在似與不似之間，所以反對完全抽象畫派。此雖細物，但可悟到抽象與具象之優劣。此七石我帶回上海，置之案頭，用作清供。

二十二

一九四四年，燕因又生第五胎，爲一女孩，取名陸音。至此我有五個孩子，加上兩位老人、我和妻一共九人。食口衆多。而幣值日跌，物價踴貴，開門七件事，幸多實物福利。柴、米、油、鹽、蔬菜、肉類，加之房屋、學費等均按人口發放，因之人多得惠亦豐。因此我雖工資微薄，而一家九口，得免凍餒，比之大學教授之生活，有過之而無不及。話雖如此，生活之壓力，始終令人透不過氣來。加之强寇壓境，國步維艱，前途漆黑，社會上污吏横行，風氣敗壞，自上及下，喻利忘義，國家至此，不知伊於胡底。我輩小民只有得過且過，且圖眼前，罔計將來，日日盼望勝利之到來，然明知果獲勝利，亦不知出路何在。

二十三

一九四五年九月，我三十七歲。鞭炮聲中，總算迎來了抗戰勝利，且喜有歸回故里之可能。當時所謂政府要員之類，以及有辦法之商人等等，以前爲發國難財而來者，今則以發劫收財爲目的，乘飛機、輪船紛紛東下，還成立復員委員會，爲這一班人服務。一般小民，是不在他們服務範圍之内的。我東歸心切，而對於回去的交通工具却一籌莫展。一家九口，根本無法搞到這些船票，而且在經濟上也非力之所能負擔。有些人急不及待，乘了木船回去，然而川江水急，礁石林立，稍一不慎，有如鷄蛋碰石頭，隨時有破碎沉没的危險，極不安全。恰好友人有做木材生意者，有一批木材由重慶放至漢口，答允我

家免費搭乘。此時彭襲明亦已由青城山下來，到達重慶，候船回至溧陽故里。他住在我家幾個月，買不到船票，遂相約同乘一隻木筏結伴東下。

這種木筏，是由百數以上的數圍巨木扎成長方形的大筏，大約有一個籃球場大小，厚有二公尺；前後各有大木一根以校正方向，左右也各有大木一根以資推進。有一、二十工人操作。在筏上搭了兩個木棚，其一爲工人坐卧、吃飯之所，其一歸我一家使用。筏上伙食自理，安全不保，陰曆正月十二日啓碇乘流東下。在峽江之中，水流複雜，主要只有一股東流水，但在主流旁邊，支流觸及崖石，返回成爲西流。操舵老大要明識東流水勢，時刻控制木筏行駛在東流綫上，纔能不斷東進。

如果誤入西流，就會倒退，或在原地旋轉，經時不停。記得在萬縣下面，有次誤入西流，在原地不斷旋轉，半日不停，經過竭力挽救，方纔退出西流，歸入東流原航道。木筏行駛，全靠水流，流速慢，木筏也慢，流速快，木筏也快。平時雖然不快，但在過灘之後，乘流駿奔，一瀉千里，有汽車般的速度。木筏觸礁，不怕沉没，只怕擱淺，如是别無他法，只有拆散重扎，這樣一拆一扎，往往費時一個星期。而最最危險者，是經過險灘，水流潰激，洄洑奔騰，以致纜索斷絶，木筏打散，這樣墮入江中，木與木互相撞擊，人處其中，一則無法上岸，二則衆木夾擊，頓成齏粉，性命俄頃，無或幸免。

我在筏上鎮日觀山觀水，風雨如恒。記得在入川時，乘坐輪船觀看風景，兩岸景物一晃而過，目不及瞬，只有看到前方，纔稍有印象。而木筏行駛徐緩，兩旁景物，可以仔細觀察，因而腦中的印象豐富而深刻。正如杜陵所謂：『幸有舟楫遲，得盡所歷妙。』山石之奇，長林古木，各家各派，無不齊備。至於經過各灘，因灘石結構不同，水勢亦無有相同者，真是千變萬化，各盡其致。所以我説坐一次木筏，勝過坐輪船十次。由重慶到宜昌，走了一個多月，猶如補上了一次重要課程，得益匪淺。

但此一月之中，也不是一帆風順的。在萬縣上面十幾里路的瀼渡附近，木筏忽而擱淺，不能行動，勢必拆下重扎。人和行李暫時安頓在附近一座禹王廟裏。這所廟宇，破敗零落，根本無人居住。我們在一閣樓上清除垃圾，鋪上地鋪，暫避風雨。我乘空雇了小船去萬縣會見老友李重人醫生，同觀太白巖之勝。宿二宵回至瀼渡，木筏尚未扎好。偶到附近走走，雖非名勝，而小山流水，村落叢樹，無不楚楚有致，令人意遠。在禹王廟後面，山崖上種有油桐，經冬葉脱，只留白色的樹竿，與黑石緑坡相映帶，古香滿目。想到故宮藏冷謙的《白嶽圖》有此氣息，故不必遠至名區，隨手偶得，無不佳勝。木筏扎好，繼續前進。日行夜宿，常需到鎮上去買米買菜，所以一路之上，常得上岸。如白帝城、神女廟，以及豐都城等處，皆得遊覽。豐都是沿江的一個平壩，旁即平都山，傳爲陰長生、王方平得道處。後世連着二人姓氏爲陰王，遂誤會爲閻王。山頂有洞，深不見底，人傳可通陰曹地府。一路上山，兩旁廟宇連楹，而乞丐之多，排肩接坐，數里不斷。行至縣府衙門之前，内有廣場，觀者擁簇，説是捉到土匪，大家都在看殺頭。我在外面，俄頃一人挑出一付擔子，兩頭各一木籠，内置人頭各一個，青年模樣，面目端莊，觀之怵心。後來回去見掛在城門處。我後讀《紅岩》小説，有一節記述江姐愛人彭松濤被害懸首城門故事，回想當時所見被殺害者，可能是革命烈士，於此可見當時革命鬥争之堅貞激烈。

再下至瞿唐峽，兩崖對峙，灧澦堆矗立江心。古往今來，有多少船隻破碎葬身於此。今聞已經炸平，舟楫上下，更無顧慮。歷人類有史可稽幾千年，視爲畏途者，亦惟有今日建設之偉大，爲民除害有如此者。再下爲巫峽，於神女廟前仰望神女峰，亭亭玉立於雲霧縹緲之中。宋玉一賦，遂使千載騷人墨客望崖而興遐想，則文字之功效豈小哉！

再下爲西陵峽，將至新灘，暫歇，筏上老大先去察看地形。新灘爲冬季川江中最險之處。水流湍急，江水成一横闊短瀑。江中一石，將江面劃分左窄右寬的兩個通道，左爲人門，右爲鬼門。人門水緩，過此尚得爲人，而過鬼門則驚波洶湧，鮮有生望矣。我們木筏横度寬闊，只有鬼門可以經過。筏上老大先去偵察，回來後將木筏加固，審查維謹，並要我們將行李懸在空中，離地數尺，準備已定，放筏直下。新灘水急，輪船上行，馬力不能勝任，需要絞灘機器以推助之。而此時絞灘機器

適壞，以致上下行船隻，在此下客以待轉駁。有近萬人在岸上待船，一齊過來觀看我們的『精彩表演』。此時筏工並立筏首，操持定向大木，水聲如沸，江面只見白沫翻騰，訇然巨響，蓋住人語。駛至瀑布處，數圍大木，柔如草芥，彎曲下沈。筏首舵工，水及腰際，在白沫中露出上身，狀流旁濺，筏面水深尺餘，幸早將行李懸起。瞬息之間沖過急灘，安然無恙，額首慶幸更生。而餘勢猶厲，不能遽止，其速如奔，凡十餘里纔止。是夜宿於牛肝馬肺峽下。

再下洩灘，與新灘互爲消長，於洪水期間，其險狀勝過新灘，而今枯水季節，木筏經過，只覺長波播蕩而已。再下爲鬼門關，諺語有云『新灘洩灘不算灘，下面還有鬼門關』，則其險

勢不言可喻。險礁露出水面，廉利如劍戟，中有一石，上鐫『對我來』三字。舟行至此，如對準此石行去，反得安然通過。如果稍作避讓，反會撞在石上。木筏舵工，不知此理，駕駛失當，妄一避讓，遂觸在礁石上面，不能再動；如果是木船，則成齏粉矣。但一拆一扎，又將費時。此地在黃陵廟附近，距離宜昌僅有一百餘里，我不能爲此再等待一個星期，遂雇了小舟，連夜到達宜昌。三峽之行，由重慶出發，歷時一月有餘，到此結束。

回想一路歷經艱險，不特水急灘險，加之沿途盜匪出沒，隨在可虞。如有一段，木筏貪圖趕路，連夜開行，有一匪船尾隨十餘里，緊跟不放，覷看我們人多，不敢動手。而

在我們後面的木船，則遇到匪船，被搶劫一空。有次停泊尚早，我領了三個孩子，上岸在集上吃了餛飩，遂爾起眼，到夜土匪大呼靠過來。幸而木筏吃水深，只能停泊江心，匪徒無小船可渡，只造成一場虛驚。總之此行沖冒險水，出入盜匪窟穴，艱苦備嘗，不能盡言。事後思之，爲之色變，可一而不可再。而回想奇麗之觀，冠絕平生，則亦不可有二。彭襲明總結三峽之勝，説瞿唐峽如三代鼎彝，巫峽如兩漢文章，而西陵峽如六朝人詞章，綺麗而趨於薄矣，可謂定評。

二十四

我少時讀《水經注》，關於三峽一段，文字雋永，令人屢讀

不厭。及今親歷其境，則又有文字所不能形容者。江上山勢連綿不斷，如展長卷。危巖穹谷，疊嶺平岡，土坡石山，長雲橫靄：加之叢樹林薄，古木老藤，新篁密竹，懸瀑奔澗，無不盡備。尤其江流湍急，洄洑激流，灘各異制，曲折開合，水流其間，變化莫測。我坐木筏之上，可以細審其勢，得諳水性，而傳統山水，各家各派，無不盡備，誠非輪船急駛所能彷彿一二。在三峽之中，走了一個多月，比讀十年書得益更多。

我自下生活到山水中去，從不勾稿，只是恣情觀看。記得在灌園離堆旅館中無意遇到關山月，翌晨同遊都江堰。他有一本小册子，很細心地記録所見景物。我兩手空空，不勾稿子，他勸我也勾些稿，我説我看山看神氣。吴道子所謂臣無粉本，並記在心，當然也是一種下生活的辦法。不過日子久了，記憶淡薄，往往想不起來。我後悔没有聽從關山月的勸告，迄今四十年，要想回憶在木筏所見，一切茫然，不復記憶。但不管怎樣，這次坐木筏，在我一生創作上，是值得紀念的一次。所以回來以後，直到於今，我常常畫峽江圖，前後不下數百幅。也因有了三峽看水的生活體驗，用勾綫辦法創造出峽江險水的獨特風格，只行海内，爲他家所無。從而得出結論，畫山水必須到山水中去。自文沈四王以下，類在故紙堆中討生活，陳陳相因，以致每況愈下。但是眼睛看了，必須用腦子想，大之所謂看其神氣，小則一樹一石，怎樣表現，都要有個琢磨。所以我總是主張每到一山，因其典型不同，表現的方法亦異，必須帶些新方法回來，充實自己的創作方法，否則是白去一趟。

二十五

到了宜昌之後，滿想總可搞到輪船票，誰知船票都掌握在復員委員會手裏，他們面向達官貴人，奸商豪富，從不設想爲老百姓服務。我株守在小客棧裏，一籌莫展，見有小輪拖木船招攬客人由宜昌下駛到南京，遂購票搭上。在一艘不太大的木船上，擠了近百人，一個人得到僅僅一尺寬的一席之地，象沙丁魚那樣塞滿一船。幾經周折，總算到達南京。

在南京火車站買火車票，一人限購兩張，我們一家大小九口人，須買八張票。我和妻子、兩個大孩在窗口外排隊。隊伍很長，排到買票，售票員說小孩不算數，兩個大人只可買四張。我據理力争，詎知有所謂維持秩序的僞警，不問情由，動手就打我耳光。爲了不做日寇的順民，我扶老攜幼，千里迢迢，逃難到後方，八年抗戰，吃盡千辛萬苦，總算熬出了頭，今日勝利歸來，還是受這樣的侮辱，真令人心寒。

火車站到達南翔站，老家房屋，破壞不能居住，乃到我岳家斜涇村暫住，再作計較。我在重慶出發時，無意中背吟陸放翁『猶及清明可到家』之句，由重慶到家鄉，走了五十餘天，到家日，不前不後，恰是清明日，斯亦巧矣。

二十六

其年秋天，我到上柏去，見到住屋焚燒已盡，一片廢墟。在我農場種地的諸暨人陳炳泉，我買進山地時，他就在這地上種蕃著玉米等作物，其他還有些茶葉，我不收他地租，他代我看管地產。抗戰期間，他没有離開過。此時他的老婆已故，拖了三個男孩，艱苦地在這塊土地上生活着。地上清理得很好，梨樹已長大，只是缺肥，瘦弱的枝條上稀疏地長着幾個菓子。這梨是我從河南鞏縣引進來的優良品種，遠勝當地所產。我採下若干，帶到上海去，請馮老師品嘗。他説品種甚佳，比碭山梨還好。我造了兩間簡易小房，以備來山居住，重整舊業。

自我一·二八逃難時，患咳嗽，北遊回來，發展爲氣喘，經治療後，住在山中，一直未發。逃難去四川，起初二年尚無顯著不適。一九四〇年春天，遊重慶南山，路上淋雨，回家氣喘大發。從此時發時止，一直不斷。尤其發後喘平，接着咳嗽不止，深以爲苦。想到老杜旅蜀期間，其詩句有『肺氣久衰翁』，『衰年病肺唯高枕』，『秋深蘇肺氣』等等，他没有説明是怎樣的肺病，一再説肺氣不適，没有説吐血等症狀，因之我料想和我同樣患的是氣喘病。四川卑濕，容易得此痼疾，難以痊愈；心想若能東歸，換一環境，可能會好。我回到故鄉以後，還是没有好轉。住在鄉間，一至病發，咳嗽大作，經久不愈，須雇小船到南翔就醫診治，極爲困難。爲了就醫方便，就在這年冬天，我在南翔鎮東市莊橋弄口借到門面房屋三間，樓下一間爲厨房，樓上二間爲卧室和畫室，立了潤格賣畫。同時積貯作品，準備舉行個展，以贍家用。我每日作畫寫字，這時候寫馮承素蘭亭序，日以二過爲課。

一九四七年我三十九歲，秋天，積得畫幅百餘件，到無錫舉行個展。老友程景溪爲我捧場。他在麗新染織廠任高級職員，認識一些無錫上層工商界人士，因之成績甚好。這樣我生活有了着落。我有祖傳土地約一百畝。回鄉之後賣去四十畝，準備在南翔東市方家灣建造新房一所，聊以卒歲。

二十七

我生平無別的嗜好，只是愛好旅遊。到名山大川中去，可

以開擴心胸，增進知識，又於繪畫有直接幫助。此時生活稍稍安定，我又有出遊之念，乃約了住在南翔的朋友廖叔禾結伴同行。經杭州、紹興、嵊縣、新昌到達天台。在重慶時，認識一位姓申的朋友，是天台人，經他介紹住在他的親戚家，還派了一位青年做我們的向導，從縣城出發，登上天台山。天台名勝，極不集中，兩處相距每在二、三十里，我們遍歷石梁飛瀑、桐柏宮、銅壺滴漏、飛簾瀑、華頂等諸勝，徒步而行，足足走了一個星期。此時杭州至天台的公路不能直達通車，我們又都行囊有限，過了嵊縣，必須走路，所以十分辛苦，但興致很好。那時只要我不發氣喘病，還是能走路的。歸途我們還迂道到了新昌大佛寺。

一九四八年時的作者

二十八

南翔古漪園是一所古建築園林，爲明末嘉定畫家李流芳之姪李杭之所有。經過歷代修理，還保存明代建築四面廳，其中匾額『華巖墨海』四字爲董其昌所書。其他亭臺樓閣，土丘池沼，也佈置曲折，引人入勝，數百年老樹古藤點綴其間，益增佳趣。抗日戰爭前夕，由當地士紳發起，修繕一新。四方來遊者無虛日。我也常至其處，於鴛鴦廳、不繫舟、梅花廳等去處品茗憩坐，得到精神上的休息。抗戰期間，被日寇以及地方上流氓惡霸等惡勢力拆毁破壞，半瓦不存，數百年古樹，也砍伐净盡，夷爲平地。戰後時平，地方人士籌劃恢復之。於蔓草間搜尋舊址，用木牌標明建築名稱。這些木牌由我書寫，立在地

上。此時太倉宋文治在安亭師範學校任圖畫教師，偶來南翔，看到木牌書字，十分賞識。後來他在懷少小學吃飯，席間有我一位族兄，手裏摇着一把摺扇，宋拿來一看，是我畫的山水，心中異之。於是他問知我的住處，兩次上門，我都不在，第三次方始見面。宋文治於抗戰期間在蘇州美專肄業，學西洋畫，後來對國畫山水感興趣，此時他新拜上海畫家張石園爲師，不過三個月。見到我後，十分傾倒，於是不再到張石園處，一心向我學習山水畫。安亭距離南翔不過二、三十華里，火車半個小時可達，每星期他常從安亭來到南翔，借些我的畫稿回去臨摹。以前他没有畫中國山水畫的基礎，我無保留地盡心教導，他也用心研習，進步甚快，學到我的風格面貌，這樣有二、

三年，直到解放以後，他幾次提出要拜我爲師。我對前輩王同愈老先生『不爲人師』的教導印象極深，所以堅决辭讓，未允所請。我説：『將盡我所學無保留地教你，但不必有師弟子的名稱。你要拜師，我可介紹你一個人，蘇州吴湖帆先生，當今國畫界巨擘，交遊甚廣，收藏亦富，你如果在他門下，可以多看名跡，多認識一些人士。』於是由我作介紹人，領他到吴湖帆家中，拜他爲師。此時我已遷往上海，他每次到上海來，不到吴湖帆家中，還是到我家。我爲他示範，當場畫些册頁扇面之類。我墻上掛的畫，他要，我總讓他拿去。這樣，他收藏我這時期的畫跡最多，大小總在百幅以上。他的畫受我影響很深，酷似我這時期的風格。一九五六年，我受聘到安徽合肥工作，

也帶了他同行。後來回到上海，我把他介紹給劉海粟，由劉老出面，推薦他進入江蘇省國畫院。這封推薦信，由我起草，劉老簽了個名。他到南京江蘇省國畫院後，經過刻苦學習，青出於藍，卓然成家。我對他也參照王同愈稱我『儼少兄』的做法，一直稱他爲『文治兄』，不以老師自居，但他向人介紹，總説我是他老師。

二十九

一九四九年五月，我四十一歲。中國共產黨以雷霆萬鈞之力，摧枯拉朽之勢，推翻了三座大山，解放大軍乘勝渡江而南。此時我住在南翔鎮上，反動政府廣築碉堡，以期頑抗。當時人心惶惶，有條件的人，都到上海租界避難。我的哥哥家住上海，我是有條件前去上海的，但我認爲解放軍是來解放人民的，遂毅然率妻攜兒，到斜涇村岳家暫避戰火，不去上海。解放軍所到之處，秋毫無犯，閭閻不驚，人民安居樂業。不比在反動政府時期，幣值貶跌，物價踴貴，一般小民，爲生活所迫，透不過氣來。我住在南翔方家灣新屋内，解放軍借住我家，真是不拿一針一綫。我也首次讀到《在延安文藝座談會上的講話》，以及《論持久戰》等小册子，開始接觸到一些革命的道理。

三十

一九五〇年我畫出《杜陵詩意畫卷》，共八卷，依照杜詩内容，描寫當年他所看到的和所想到的景物，參以我親身的體會。不特作爲我在四川八年生活的總結，也在畫法上有新的突破。這個畫卷裱好之後，馮老師爲我寫了引首，還精心撰了一篇長跋，對我勉勵有加。海内名宿如沈尹默、葉恭綽、黄賓虹、吴湖帆、冒廣生、潘伯鷹、謝稚柳等諸位先生都在卷尾題字書跋。杜公詩中所述憂國懷鄉，身在江湖，心存魏闕之句，如『孤舟一繫故園心』，『聽猿實下三聲淚』，『故國平居有所思』，『白頭吟望苦低垂』等等，操筆染紙，激情最深。畫法也逐漸形成一己的獨特風格。我抄録前在四川的《秋興》詩六首於卷尾，作爲我詩、書、畫三者進程中的一個標誌。

三十一

回想我初從馮超然先生學畫，第一次他拿出他所臨的戴醇士水墨山水卷叫我臨。在三十年代，人們對戴醇士的評價極高，其賣價竟與四王同值。四王畫價也不在普通宋元畫之下。我在這種風氣影響下，也從四王入手。宋元畫不易見到，四王畫終究多些，容易看到。所謂『正統畫派』就是從四王而上溯宋元。平心而論，四王還是有它存在之價值，有許多宋元遺法，賴四王而流傳下來，如果食古不化，那麽及其末流陳陳相因成爲萎靡僵化，這是不善學的緣故。所以學四王必須化，化爲自己的面目，我就是從這條路走過來的。也有人説我學石濤，我對石濤在四王筆墨占據整個畫壇之時能獨出新意是有好感的。但我從未臨過石濤畫。石濤學元人而加以放，我也學元人，師法相同，學而能放也相同，所以我戲言和石濤是師弟兄，而不是師弟子。我對前代大家，一向不是無條件崇拜，我認爲即使是大家，一定有所長，也一定有所不足，即如石濤，一種生拙爛漫的筆墨，新奇取巧的小構圖，有過人處。但其大幅，經營位置每多牽强窘迫處，未到流行自如，左右逢源的境界，所以他説的『搜盡奇峰打草稿』未免大言欺人。而他的率易之作，病筆太多，學得不好，會受到傳染。我認爲自己要有定力，不爲他名高所懾服，要心中有數，何者宜學，何者宜改，何者宜化，以我爲主，目標既定，勇猛直前，罔計有他。

三十二

我的老師馮超然先生對山水、人物、花卉三者均所擅長，而我在他門下，以前只學山水。解放以後國畫要爲人民服務，當時的形勢，只有畫人物，可以發揮所長，於是我改學人物，主要畫連環畫。我到上海和同門湯義方共畫連環畫，學習作現代人物。一九五〇年，我四十二歲，秋，母親亡故，哀痛逾時，家庭擔子直壓肩上。過了兩個月，土改開始，我回到鄉間。前在四川，我是一名小職員，勝利回來，一家八口，以賣畫爲主要生活來源，所以没有劃上地主，是一個非農業户口。土改結束，我回到上海進行連環畫創作工作。爲了深造計，一九五一年參加上海文化局學辦的連環畫研究班，畢業以後，全體同學要求工作，於是文化局長夏衍同志接見了我們，問起我們的要求，我們一致要求工作。於是辦起連環畫學習班，三個月結業，分配工作。我被分配到私營同康書局任繪圖員之職。這是一家皮包書店，老板只是父子兩人，没有另外職員，産業只有一隻皮包，老板在四川南路弄堂裏租到一間房子開張營業。當時只有我被派到這樣一個不成樣子的單位工作，看到大家都分配到國營企業，不勝羡慕。後來一直到公私合營，我也没有得到正式工作安排，只做了一名自由職業者。但因有社會主義制度的保障，不比在解放以前，畫賣不出去，就要餓肚子。

解放初期，一般連環畫創作水平都不高，所以我也可以應付。自一九五三年起至一九五五年同康書局公私合營期間，我畫過近十部連環畫，其間主要畫過一部《牛虻》，印數很多，人家説這部連環畫挽救了將倒閉的同康書局。當然我也因此免於失業。在此期間，我也畫年畫，以國畫形式出版了一張《讀報》的年畫。同時也參加上海的新國畫研究會，創作一些新國畫。一九五三年在上海舉辦的解放以後第一次大型畫展中，我展出《雪山勘探》一圖。此畫得到好評，經美協收購，並印刷出版。一九五六年在合肥畫了一幅《教媽媽識字》，《美術》雜誌用爲封面。

我不善處世，做人戇直，看到不順眼的事，骨鯁在喉，一吐爲快，當時在上海講了一些刺痛某些人的話，於是前後得到一連串可怕的後果。一九六四年我畫了一幅《沸騰的黄浦江畔》

新國畫，反映吳涇化工廠的實景，參加華東美展。我想突破國畫傳統技法，和題材的限制來表現工廠。此畫展出以後，上海有人誣告我畫內有反動標語。深幸公安部門予以否定，否則我將鋃鐺入獄。於此深感世路崎嶇，不寒而慄。也靠黨的英明，使我得免於難。

但在此時期，我在社會上有了些影響，也有些人知道了我。有位青年名諸葛瀟塏，想從我學習山水畫，他準備請一次客，舉行拜師禮，我主張一切從簡，和他兩人到復興島一家小飯店裏，化兩塊錢，吃了一頓，就算拜過師。諸葛瀟塏那時在中國銀行任小職員，後轉至北新涇一所中學任圖畫教師。人品很好，也有才華，他在一九五五年上海青年美術競賽時得過

獎，刻苦好學，孟晋不已。惜正當中年時，於十年動亂中因勞累過度突發心肌梗塞死去。未展所長，不免可惜。

一九五四年四月間，馮超然先生逝世，享年七十三歲。在彌留時，他對我說：『畫畫不能太象』，於此可見他念念不忘對我的教導，希望我成材，這使我極度感動，永誌不忘，這也是我以後創新變法的動力。

三十三

一九五五年冬，安徽省文化局長到上海物色畫家到合肥去工作。我和孔小瑜、徐子鶴、並約了宋文治四人應聘前往。到了合肥，安排我們做些展覽會佈置工作，又到梅山水庫等地

參觀訪問。兩個月後，指派我在一個藝術學校繪畫系當主任，孔小瑜任教師，徐子鶴在博物館，宋文治在群衆藝術館（後來他因學校不放，没有到安徽去）。工作分派好，讓我們回上海家中處理家務。我回到上海，去看吴湖帆，吴湖帆一見我，就説上海將成立上海中國畫院，希望我留在上海，不要去安徽。劉海粟一向看重我，記得在一九五三年間，我爲劉定之畫了幾開册頁，劉海粟一見驚異，説要來看我。我説應該我去看他。遂由劉定之介紹到他家，從此相識。他在背後總向人説我好，甚至説當今五十歲上下的一輩畫山水，以我爲第一，我是受之有愧。他也幫吴湖帆做我的工作，我因此心動，不去安徽了。後來安徽幾次派人

來上海動員我去，説安徽工資每月二百元，上海只有八十元。一個人對待工作，不能不想到待遇問題，二百元和八十元，我當然知所抉擇，但我想到馮先生的教導，要有徇道精神，對名利要看輕些，想到國畫院是國畫最高學習和研究機構，在其中我可以提高水平，作出貢獻，因之説服了家裏人，始終不爲所動，没去安徽，毅然留在上海。後來劉海粟幾次向我表示歉意，説把我留在上海，讓我以後吃了苦頭。

三十四

不久北京、上海兩個中國畫院成立，這是周總理親自批准的，是國畫界的大喜事。我一生學習中國畫，全部精力，灌注

其中。但在反動政府時期，政府不提倡，讓畫家自己掙扎，畫家命運操持於資本家手裏，畫家必須迎合他們的心理，纔能得到生存的權利。如馮超然先生是當時在上海最紅的畫家，理應誌滿意得，無所怨艾。但有一次他和我一同坐車時，嘆苦經地說：『我形成了這樣一個面目，出錢的買主只要這個面目，不能改動，如果想創新，換了一個面目，就説是代筆，或是説假的，就不肯出錢。』他指我說：『不比您可以自由創新，爲所欲爲，不斷摸索，開創面目。』馮先生也知道畫要創新，但在舊社會他没有創新的自由。不比解放以後，領導上鼓勵創新，越能創新越好。但馮先生還是走運的畫家，我們雖然可以自由創新，但是畫不易賣出去，生活無着落。那時，我只能放棄作畫，住在鄉間從事農業生産，

根本没有機會參加社會上的國畫活動，藝術生命早已完結。解放以後，成立了中國畫院，讓我專心一致拿起畫筆，從事國畫創作，這是我藝術生命的再生，我是衷心的感謝黨。我同上海六十位老畫家一起被吸收爲上海中國畫院畫師，每月國家發給固定津貼，生活得到保障，可以不必依靠並非學所專長的連環畫來養活自己了。

畫院剛一成立，即組織畫家到生活中去，我參加了去浙東的一組，計有孫祖勃、俞子才等五、六人。我們帶了畫夾，前往奉化，在四明山區下生活，實地寫生，想到這是黨給我們創造的條件，油然興起對祖國的熱愛。我從溪口登上四明山頂，俯視千丈巖瀑布，又住在雪竇寺裏，領略到山中的幽深靜美，再循着三隱

潭而下，乘竹筏隨溪流歸來。畫院的成立，使我們有了一個家，一個國畫工作者的家，我總説國畫院是我們的『命根子』。回想起這段日子，充滿着愉快、幸福和希望。我與同行時常相互探討，作畫，日有所進境。這時我又被光榮地選爲南市區人民代表，我走訪城隍廟一帶畫家，聽取他們的意見，以便帶到上面去。我將一顆真誠的心，獻給國畫事業，竭盡自己的綿薄之力，推動國畫事業前進。那時國畫院在高安路，畫師是可以不坐班的，但我總是每天到畫院，早出晚歸，風雨無阻。我又得到領導的信任，去閩西搜集素材，畫革命歷史紀念畫。我到過漳州、永安、龍岩、上杭等地，聽到不少老根據地人民可歌可泣的革命鬥争故事，受到極深的教育。

三十五

自福建回來不久，反右開始，畫院幾次開會，領導上一再强調『暢所欲言』、『言者無罪』、『聞者足戒』。在一次會上，我談了些對上海美協的意見，遂以大家知道的原因，戴上右派帽子，沉淪了二十餘年。從此，我每天到畫院勞動，後在業餘用了半年時間，畫了近兩百多張的一套課徒山水畫稿，把各種樹法、石法以及屋宇橋樑、人物點綴，逐項畫成小張，上加説明，毫無保留地把自己所學到的技法，記録下來。那時我没有别的想法，一切置之度外，只是潛心鑽研山水畫，認爲如果將來能够對後學有些小貢獻，也算了了我的心願，不枉學畫一生。

陸儼少和夫人朱燕因

一九六一年我五十三歲，國慶節時摘去右派帽子，問題雖未完全解决，但情况好了一些。此後我去廣東參加僑鄉寫生，到過新會、臺山、開平。再到湛江參觀新建港口，接着到茂名，參觀油頁巖礦以及煉油廠，看到了祖國的偉大建設。歸途取道南寧、桂林、衡陽、株州以至上海。我常同劉旦宅同志一起寫生，出入相隨，情好無間，從此建立了友誼。他擅畫人物仕女，功力深厚，夫人王微粼與我老伴也頗相得，所以後來有好幾次和他們夫婦同去名山勝地下生活，我老兩口在旅中也得到照顧。

三十六

浙江美術學院因爲國畫系山水科教師顧坤伯生病不能任教，極需補充一位山水畫教師。院長潘天壽素來主張畫畫的人，兼應有些文學修養，又能寫幾筆毛筆字，所以用此標準來物色山水畫教師。前此浙江美術學院畢業生姚耕雲來上海進修山水畫，領導上指派由我教導。一年之後，他回浙江，臨行我送他一部我畫的杜詩册頁。他回去後，請潘天壽先生題字，潘老看到我的畫，讀到我册後的長跋，以及寫的字，不覺首肯。後來聘請山水畫師，多方物色，没有適當的人，因而想到我。我和潘老素昧平生，無一面之雅，只因他看到我送姚耕雲的一部册頁，就不顧我在政治上有『問題』，特到畫院指名要調我去工作。可是畫院堅決不同意，要另派别人，但潘老不要，指定要我去。雙方相持不下，於是想出折衷辦法，一半對一半，即一個學期我去浙江教兩個月，再兩個月在上海。一九六二年起我在浙江美院兼課，教國畫系山水科四、五年級的學生。

三十七

我逃難到四川，只帶了一部杜集，閑時諷詠，其中在夔州篇什，描寫峽江景物，與我眼前所親自看到的景物相同，使我得到啓發。我好杜詩，更愛蜀中景物，二者天下無雙，堪相匹配，遂多畫杜陵詩意圖。前後計有十餘册，每册自八幅至二十幅不等。

一九六二年爲杜甫誕生一千二百五十周年紀念，我準備畫杜甫詩意册四十幅，把這個意願和吴湖帆先生談了，吴先生鼓勵我畫成一百幅，他説這是畫史上前所未有，唐六如有一部一百幅的册頁，但不全是山水；華新羅有一部一百幅的册頁，也是山水、人物、飛禽、走獸、花卉、魚蟲合湊而成。因爲册頁必須幅幅變異，筆墨章法風格設色不一樣，纔不致令覽者意倦，而有逐幅新鮮引人入勝之妙。一部册頁完全是畫山水，作者必須掌握多種筆墨，具備各種技法，展示面目，層出不窮，而後可以勝任，這是不容易的。他慫恿我不妨一試。於是我着手動筆，先成二十五幅，用正楷書款，後又續成一百幅，用隸書書款。此一百幅杜甫詩意册，先在畫院展出，後又拿到浙江美術學院展出，續又拿到蘇州展出，均得到好評。文化大革命開始，我上交到工作組，後來造反派準備批判我，説我『借古諷今』，用盡無限上綱的手段，但抓不到把柄，結果批不下去，因而作罷。此一百幅一直在畫院内，鬧後期還有人借去觀看，但不知幾個轉手，只剩下六十五幅，而且較精的都没有了，可知是懂畫的人拿去了，幾次催問，均無下文。從前是『毒草』，一變而成香花，知是某些人乘機撈了一把。

三十八

一九六三年，我五十五歲。春天，我隨同浙美學生去雁蕩山。出發前夕，進行體格檢查，驗出我患肺結核，右肺上部有空洞，學校寫信到雁蕩山，要同去的助教童中燾好生看護我，不讓我多走路。當時我自己尚未發現有病，而組織上已爲妥善安排，得以及早治療，使我萬分感激。此次去雁蕩山，老友程景溪結伴同行，我因身體不好，只到過靈峰、靈巖、大小龍湫、三折瀑、開元洞、古竹洞等處。景溪老友直上雁湖，經西石梁賦詩而歸，足稱壯遊，愧我不能相從。回到上海，我到醫院檢查，果真肺部有空洞，而且是在活動期。經過服用特效藥雷密風，打鏈霉素針，以及滴劑療法等等，均不見效。後有好友任書博兄送我『抵百粉』藥片，大見療效，以至鈣化。書博兄爲人醇厚真摯，與人交，終始如一，他善畫松竹，是吴湖帆的學生，亦以餘力，從事篆刻，我蒙其厚惠，心感無既。寫成感惠册相贈，不足言報，聊以略表心意。

是年秋天，我還是照常到浙江去兼課。在兼課期間，認識了南藝教師羅叔子，他也在美院兼課教繪畫理論。兩人相見，商討藝事，所見略同，至爲歡洽。我寫圖賦詩以記此事。後他於十年浩劫中，長才未竟，不得其死，思之愴懷。

三十九

一九六四年，我五十六歲，春，參加畫院組織去皖南寫生，先至合肥，取得聯繫，然後下至蕪湖、歙縣等地，參觀蕪湖鐵畫廠、歙縣墨廠、硯廠。於休寧登齊雲山，即世所謂白嶽者是也。

其年秋，我咳嗽不止，畫院領導帶隊再去皖南，我因上半年去過皖南，又病咳嗽，不欲往，强之而行。由桐廬至白沙，參觀新安江水庫大壩及發電機組，此皆我國自行建造，看到宏偉的建設，認識到在黨的領導下，我們一定可以自力更生，振興中華，富强昌盛。旋乘船去淳安縣治，觀漁水庫中，飯於生產隊。又深入山區商於大隊，觀其築堤攔流，利用河灘移土造田，改造環境，戰勝自然，發展生產的一派新氣象。然後上溯至深渡，沿江皆移民點所造新屋。經歙縣，在練江邊寫生，一日下午約二時許，我看到山上叢林邊緣，日光斜射，顯出一道白光，甚爲好看，歸與西畫家言及，説是輪廓光，我遂由此創爲留白之法，後來在新安江水庫、井岡山等處，看到同樣的現象，又加以改進、豐富，用到創作上，效果很好。遂多用之，形成我的獨特面

陸儼少先生五十歲左右時攝於上海馬當路

目。在歙縣住了幾天，旋去屯溪。主人咸曰既來此，不可不上黃山，領導心動，遂至黃山賓館，我因咳，不欲上山，謂將在山下等候。詎知勝景在望，欲罷不能，又以二十餘年前登黃山，頹垣敗屋，道路未通，徒步行一百二十里，所見不全，今則堂宇輪奐，磴道修整，文殊院改建爲玉屏樓，山林盥沐，氣象一新，益欲往見之，遂咳嗽登黃山，未及半山寺而咳嗽頓愈。前次來黃山，天都峰路壞不能上，此次遂登鯽魚背險峰，下過蓬萊三島，經一綫天而至玉屏樓住宿。此時文化局有規定，出外下生活寫生，不准遊山玩水。我隊領導在枕上思及此戒，深覺不妥，於是翌晨即下山，不及去北海。

四十

是年秋，高教部新作規定，取消兼課制度，我遂不再去浙江美院。前後兼課，歷時三年。有人説我教出的學生象老師，我説學生不象老師有兩種情況：一是老師太差，學生不想學他；二是學生智過於師，老師不能框住他。如果老師平平，學生也無突出才能，那末容易象。而發現一個突出的人才，也不容易，所以孟子稱『得天下英才而教育之，一樂也』，誠爲至言。於此同時，我在京劇院學館，以及上海市青年宮等處輔導國畫山水。

上海青年學畫山水，有人受我影響，拜我爲師。有些人自己跑來，叫我陸老師，於此，不能一一列舉。我的孩子陸亨，筆

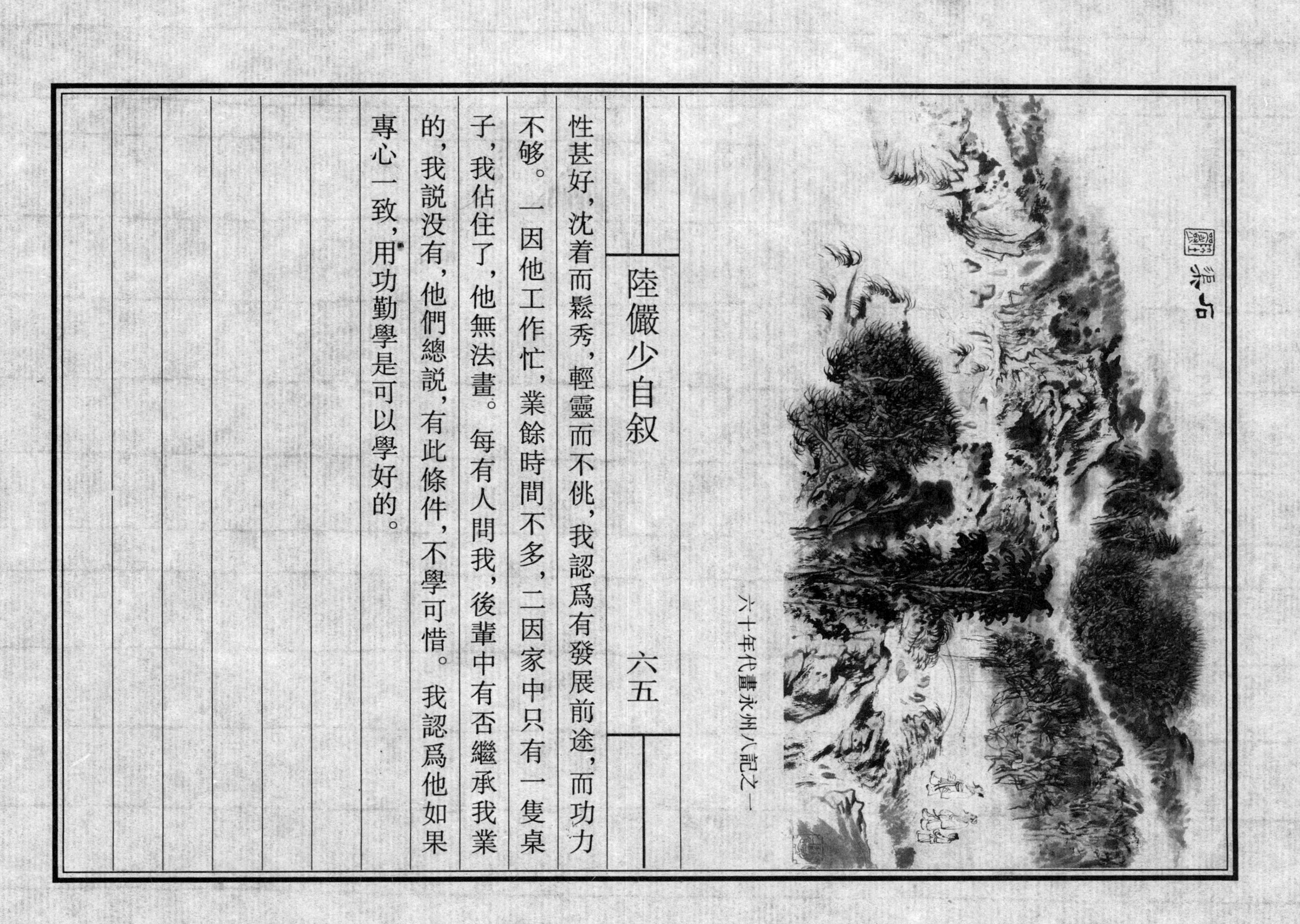

六十年代畫永州八記之一

性甚好，沈着而鬆秀，輕靈而不佻，我認爲有發展前途，而功力不够。一因他工作忙，業餘時間不多，二因家中只有一隻桌子，我佔住了，他無法畫。每有人問我，後輩中有否繼承我業的，我説没有，他們總説，有此條件，不學可惜。我認爲他如果專心一致，用功勤學是可以學好的。